JN035305

101 Things I Learned® in Product Design School

Sung Jang
Martin Thaler
Matthew Frederick

プロダクトデザイン 101のアイデア

著｜スン・ジャン　マーティン・セイラー　マシュー・フレデリック　訳｜石原薫

101 Things I Learned® in Product Design School
by Sung Jang and Martin Thaler with Matthew Frederick

凡例

・訳者による本文中の補足は〔 〕で示した。

・本文中で扱われている書籍において未邦訳のものは、原則的に原題のママ記載し、（未）と記した。

・書籍は『 』で示した。

Contents

まえがき

この本を手に取られたのは、あなたがプロダクトデザインを勉強しているか、プロダクトのアイデアを持っているか、それとも単にプロダクトがどのようにして考え出され、作られ、売られるかに興味を持ったからでしょうか。

プロダクトデザインの世界は広大です。プロダクトは至るところに存在し、ありとあらゆるニーズに応え、非常に多様な環境や状況で機能し、人によって果てしなく異なる美的な感性にも対応しています。このように、とてつもなく広い範囲にわたって良いデザインを行うには、原理原則を知り、基礎を固めることが肝要です。私たちの経験では、こうした原則がデザインの学習課程できちんと取り上げられることは少ないように感じます。そのため、本書では平易な言葉とシンプルなイラストを使って、この面白くも複雑な分野に踏み出す上で助けになる、普遍的な原則、哲学的な原理、技術的な基礎知識をレッスンにまとめました。どうかデザイナーとしての知識を深めるために役立て、手元に置き、折に触れ読み返してください。

スン・ジャン、マーティン・セイラー

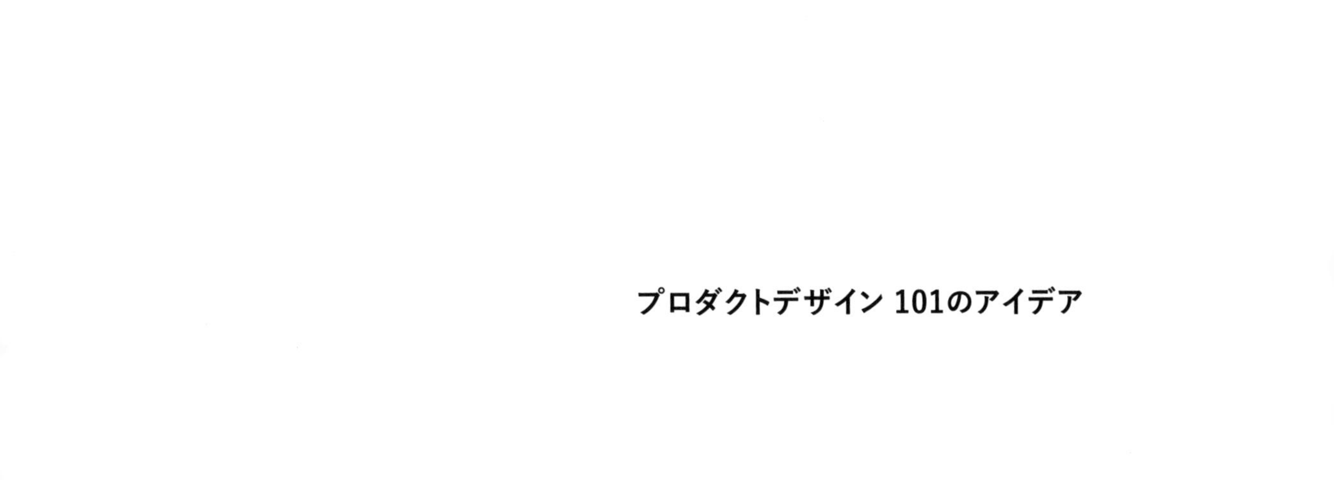

プロダクトデザイン 101のアイデア

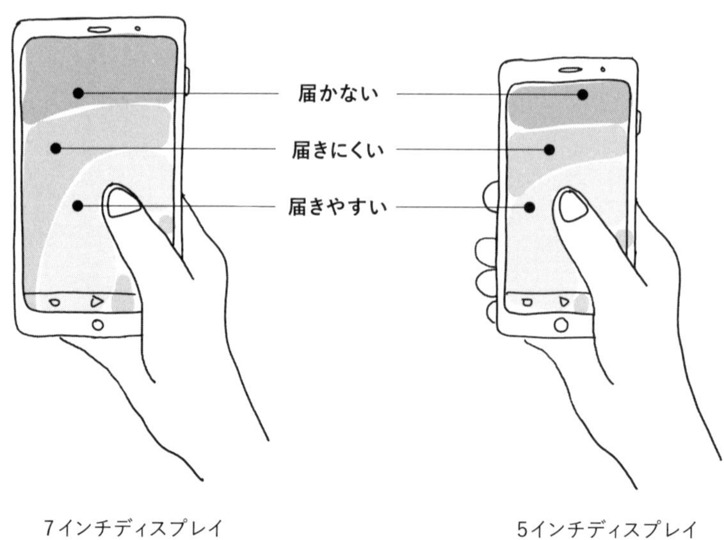
届かない
届きにくい
届きやすい
7インチディスプレイ
5インチディスプレイ

デザインは身体的な行為である

深く考えることは必要ですが、頭で考えるだけではデザインはできません。自分でも「実際にやって（使って）みる」ことで、「何を考えるべきか」が見えてきます。それをしなかったら、人は自分の知識の範囲内でしか物事を考えません。

デザインは、必ず身体に関係します。VRやデジタル機器も、ビジュアルインターフェースやタッチスクリーン、マウスやペンといった入力機器などを介して身体と関わります。

だから体を張ってデザインをするのです。

自分自身の体をツールとして用いながら、実践に重きを置いたデザインプロセスを踏みましょう。ユーザーの体験を再現するように演じてみるのです。ボタンを押したと仮定して、コントロールパネルを操作して、試作したイスに実際のユーザーが座るように座ってみましょう。

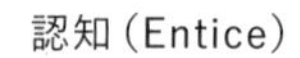

認知（Entice）

使用開始（Enter）

使用中（Engage）

使用終了（Exit）

使用後（Extend）

ラリー・キーリー[*1]によるカスタマージャーニー[*2]の「5E」モデルより

つねにシステムのことを考えながらデザインする

システムとは、複数の要素が絡み合った組織や仕組みのことです。つまり要素同士は関係し、依存し合っています。何をデザインするにしても、プロダクトの周辺とそのまた周辺、つまりプロダクトが属す多数のシステムにまで、考えを及ぼすことが必要です。

紙コップをデザインするとしたら、製造、物流、販売、使用の各システムについて調査する。電子機器をデザインするときには、複雑なデジタルエコシステム〔生態系のように共存する企業やサービス〕が存在すると考えられるため、それらを念頭に置く。プロダクトを取り巻く環境や状況(コンテクスト)、つまり使用の前後に起こることや、ユーザーの行動を時系列で追うとよいでしょう。

新しい製品には、新しいインフラが必要になるかもしれません。どんなにすばらしいアイデアも、現実世界にそれを支えるシステムがなければ、すばらしいアイデアとは言えないのです。

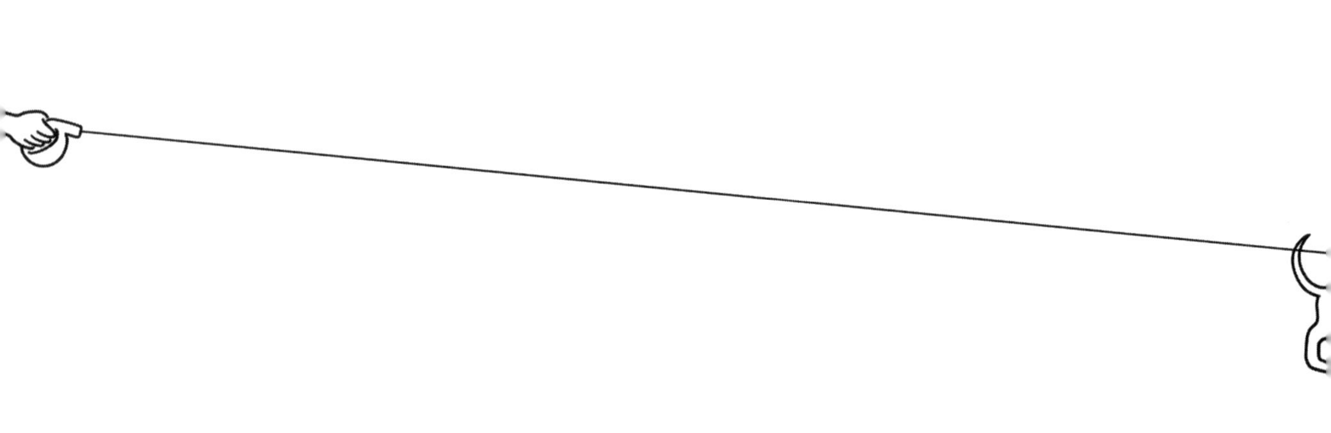

目に見えている問題は、たぶん本当の問題ではない

目に見える問題の根底には、たいていもっと大きな問題か、場合によってはまったく別の問題が潜んでいます。

たとえば、「犬のウンチを拾わない人が多いから、もっといいプーパースクーパー〔すくうための器具〕をデザインしてほしい」と依頼されたとします。するとあなたは、「飼い主がウンチを拾わないのは、触ってしまう危険があるからに違いない」と、もっともな理由を思い浮かべるかもしれません。

ところが調べてみると、飼い主が単にウンチ袋を持って出かけるのを忘れているだけ、ということがわかったとします。それでは新しい器具を開発しても問題は解決しません。

そこで問題点の**リフレーミング**〔別の枠組みや視点で捉え直すこと、再定義〕をします。問題は「ウンチ袋の在処(ありか)」でした。「リードの持ち手の中」や「ドッグランや街中の自動販売機」などが可能性として考えられるでしょう。

漠然としすぎた課題には「What」、限定的すぎる課題には「Why」の質問をする

漠然としすぎた課題　「カスタマーサービスにおける問い合わせ回答時間の短縮化」を依頼され、どの業務や手順、設備などに重点を置くかを指示されなかったとき。
What（なに）の質問をする　問題の根拠となるデータは？　これまでクライアントが試みた対策は？　従業員が達成すべき業務目標は？　使用されている手順や設備は？　そのうち重要度の高いものとそうでもないものは？

限定的すぎる課題　「自転車用ライトのデザイン」とピンポイントで依頼されたとき。
Why（なぜ）の質問をする　新しいライトが必要な理由は？　前方を見やすくするためか？　周囲に気づかれやすくするためか？　特定の自転車や環境で使用するためか？　新しいバッテリー技術が開発されたからか？　現モデルが時代遅れになったからか？

Jaywayne の USB クールミスト加湿器

ニーズは動詞である

ユーザーが求めていることは？

花瓶ではなく、花を飾り愛でること。
ティーカップではなく、紅茶を飲むこと。
イスではなく、ほっと一息つくこと。
ランプではなく、部屋を明るくすること。
加湿器ではなく、空気を加湿すること。
ウォーターボトルではなく、移動中に水分を取ること。
ガレージではなく、自動車を保管すること。
書棚用のはしごではなく、情報を手に入れること。

CD
派生プロダクト
フード
コーヒー豆
コーヒー
タンブラー
コアプロダクト
マグ

製品体験まで考える

どんなプロダクトにも、プロダクトを超越したコア体験〔プロダクトがもたらすユーザーにとって価値のある体験〕が１つ以上あります。

マウンテンバイクのコア体験は、自転車で走ることかもしれませんが、自然を探索することや、肉体の限界に挑むこと、仕事に追われる毎日から解放されることも、そうかもしれません。

どんなコア体験が求められているかがわかれば、ユーザーの動機やニーズが明らかになり、より良いデザイン解だけでなく、同じユーザーに向けた派生プロダクトの開発にもつながります。たとえば、雨対策や応急処置の道具、栄養補助スナックなどです。

派生プロダクトには、ユーザーのコア体験に対する興味や、プロダクトブランドに対する信頼を深める効果が期待できます。

オリジナリティは「ステップ1」ではない

オリジナリティ（個性、独創性）は、初めから出そうと思って出せるものではなく、技能を磨くうちに身についていくものです。

名デザイナーの作品を複製すること〔美術でいう模写〕は、視覚認識力や技巧を磨き、モノの根本的な仕組みを学ぶ上で効果的な練習法です。練習は毎回、目標を絞って取り組みます。複製する作品とできるだけ同じ手法を用い、細部もすべて再現します。根気強く、着実に、繰り返し行うのがポイントです。表現はひとまず脇に置きます。技術を学ぶ時間は、創造性を発揮する時間ではありません。

技術をマスターし、ものにしていくうちに、アイデアをカタチにする具体化のプロセスではなく、アイデアそのものに意識と努力を向けられるようになります。そうなれば、あなたの創造性が解き放たれるでしょう。

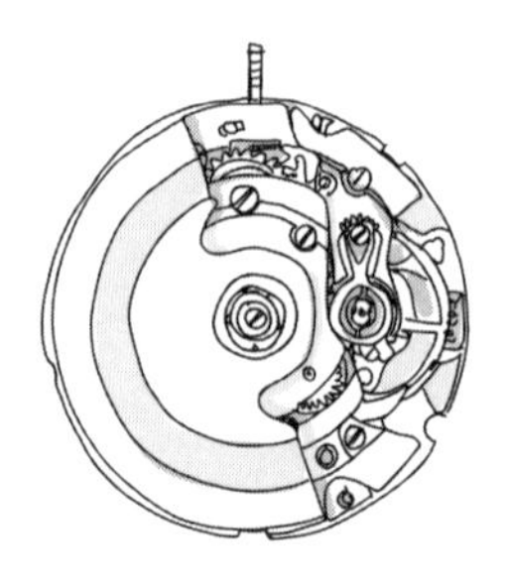

機械式
高価格
永久的に駆動
スイープ運針

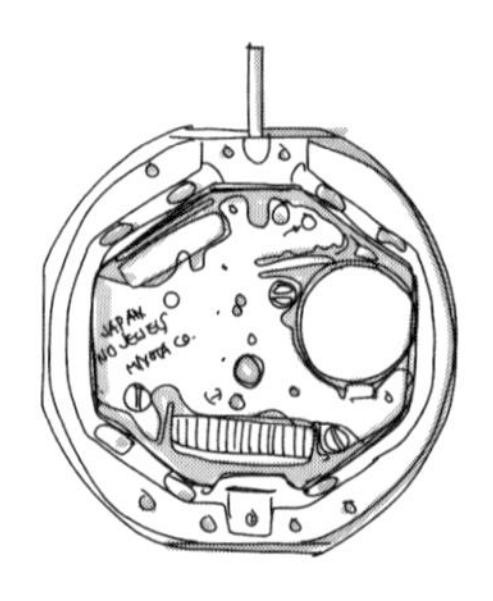

クオーツ式
低価格
電池駆動
ステップ運針

駆動方式

技術はわからなくても、概念的に理解することは大事

技術的理解　機構や材料特性、公差〔工学において許容される誤差〕、製造方法など、文字通り、そのモノの技術的側面を知ることです。技術的思考は局部化や専門化に陥りやすく、システム全体ではなく、その中の一部分や一面だけに注目し、システムの存在理由に立ち返る「Why」〔Lesson 4を参照〕を見過ごしがちです。

概念的理解　あるモノの機能構造に関する基本原理や、システムの中での働き、全体的なルックアンドフィール〔見た目の印象〕、ユーザーの体験などについて把握することです。細部を掘り下げる「How」〔Lesson 22を参照〕よりも、大局をつかむ「Why」の質問で得られる知識です。

nest
IN 10 MIN
68

身近なモノから取り組む

まったく新しいものに人々が飛びつくかどうかは、大きな賭けです。画期的なプロダクトは、改良を重ねてきたプロダクトよりも、必ずと言ってよいほど、普及までの時間、お金、テストを要します。また、消費者調査を行なっても、比較対象がないことから、その潜在価値を想像させることは難しいかもしれません。

一方、身近なプロダクトの改良版ならば、消費者からのフィードバックが役に立ちます。一定の進化を経て、安心と不朽性を勝ち得た**原型**（アーキタイプ）を改良するほうが、ユーザーの生活に受け入れられやすいものです。

たとえば、ネスト〔スマートホーム関連のベンチャー、現在はグーグル傘下〕のサーモスタット〔温度の自動調節装置〕は、大手メーカー、ハネウェルのサーモスタットを原型としながら、サステイナブル素材を使用し、ユーザーの好みに合った室温調整を学習する機能を搭載しています。その先進技術を前面に打ち出すような、主張のあるカタチにしたほうが人目を引いたのでは、と思うかもしれませんが、見慣れたカタチは消費者に安心感を与え、生活空間にもしっくりなじみます。

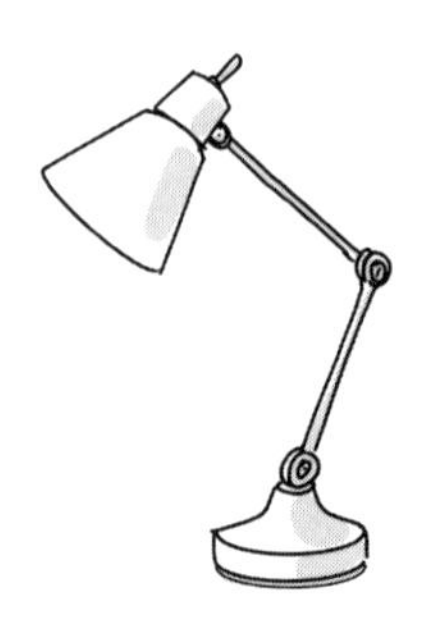

よくあるテーブルランプ　　スコット・ウィルソン[*3]のSisifo　　よくある卓上スタンド

新しいけれど、新しすぎない
なじみがあるが、月並みではない

通常、動物は初めて経験する刺激に対して、恐怖反応を示すことが科学的研究からわかっています。その後、同じ刺激に繰り返しさらされると、対象への好奇心や積極的探求、そして時には好意や友情が見られるようになるそうです。無生物に対する私たちのリアクションも、これと同じ防衛本能や生存本能の影響を受けています。

消費者が斬新なプロダクトに恐怖を感じることは考えにくいものの、本能的に受け付けずに避けることは考えられます。多くの新製品が短期決戦を強いられているということは、消費者が適応する間もなく失敗に終わっている可能性があるということです。

デザイナーのレイモンド・ローウィは、**MAYAの原則**を提唱しました。消費者の住み慣れた世界に新しいものが受け入れられるためには、なじみがある安心感と新鮮な刺激とを両立させた「Most Advanced Yet Acceptable」つまり「非常に先進的ではあるが受け入れられる」プロダクトでなければならない、と考えたのです。

ジョナサン・アイヴ*4がデザインしたiPod、2003年

「他と違うことをするのは簡単。良くすることが難しい」

―― ジョナサン・アイヴ

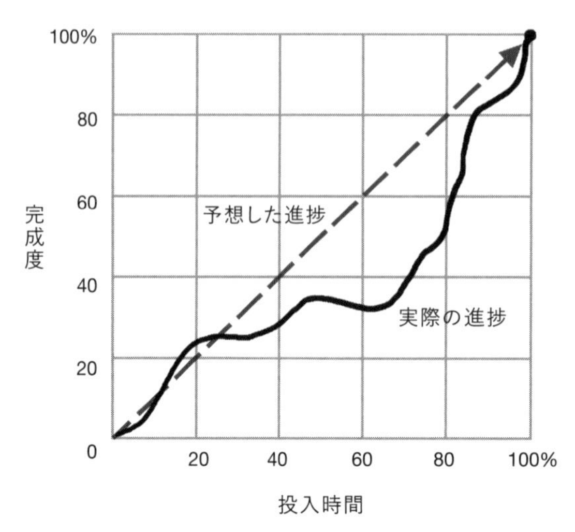
100%
80
60
40
20
0
完成度
予想した進捗
実際の進捗
20
40
60
80
100%
投入時間

創造のプロセスは一直線には進まない

あっという間に解決策を思いつき、それに固執する。そして批判されると、創造や表現の自由を振りかざして、守りに入ろうとする。これは、駆け出しのデザイナーにはよくあることで、いかにもな行動でさえありますが、実際には創造や表現を放棄している証です。

創造とは、あらかじめ持っていたアイデアを具体化することではなく、学び、発見し、新しい可能性に挑み続けることです。

そして、無力さを追求すること ── 何をしたらよいかわからない自分を受け止め、予想外の何かを生みださなければならない状況に、積極的に自分を追い込むことです。

13

真っさらな紙に向き合うことが怖くなくなる方法

何も書かれていない真っ白な紙ほど、多くの可能性を秘め、そして人を怖気させるものはありません。

でも半分にちぎれば、怖さは半分になります。1/4にちぎり、線を２本引くか、言葉を３つ書きましょう。

太いマーカーを使うと、イヤでも自分のアイデアの肝について考えざるを得なくなります。

しばらくすると、ブレーンストーミングも、ユーザーシナリオ〔ユーザーが、あるシステムや環境で、目標を達成するために取ると考えられる行動を図や文章で示したもの〕の見きわめも、プレゼンの準備も、はかどっているはずです。

14

アイデアは移動可能に

創造性とは、新しいアイデアを思いつくことだけではありません。むしろ、アイデアとアイデアを「結びつけること」だと言ったほうがよいかもしれません。デザイナーがさまざまなアイデアの間を自由にゆききできるほど、重要なつながりがぽっと姿を現す確率が高まります。

新しい有力なつながりや組み合わせを発見する一番の方法は、スケッチやリサーチノート、リスト、ブレーンストーミングの結果などを壁やホワイトボードに張り出し、すべてのアイデアをひと目で見渡せるようにすることです。

それでも何のつながりも見えてこなかったら――素材を並べ替え、グルーピングし、整理し、組み合わせ、ばらし、加工し、解釈し直したりして、新しいパターンやアイデア、ユーザーシナリオ、ストーリーの発掘を試みます。チャンスを広げるために、他の人にも参加してもらいましょう。

デザインには言葉が必要

１週間ごとに、ユーザー、問題点、取るべきアプローチに対する自分の理解を説明する**デザインステートメント**を書き出しましょう。まとまったアイデアだけを記録するのではなく、書くことや書いたことが、考え、発見し、「わかったつもり」の理解を改めるツールになります。必要なら、１つの文章に１時間かけてもよいのです。

デザインの過程で大きな壁にぶつかったり、決断できずに足踏みしているときには、貯まっているデザインステートメントを見返しましょう。ここまでたどってきた進化の先に、次のステップがおのずと見えてくるかもしれません。

公共空間で人はイスを
動かして座っている。

何らかの意味が
あるのではないか。

そうやって人は居場所を選び
コントロールしながら
「守りやすい空間」を作っているのか！

気づき

洞察

ウィリアム・H・ホワイト*5の『The Social Life of Small Urban Spaces（未）』の観察記録からヒントを得る

16

洞察は観察を超えた先にある

観察（オブザベーション）　客観的事実や状態を知覚すること。

気づき（アウェアネス）　その中で「なんだか意味がありそう」と思いながら頭に引っかかっている事象。

洞察（インサイト）　知っているけれど見落としていた深い意味を認識すること、言うなれば「目から鱗」。複雑な関係性や曖昧な現象を単純明快に整理し、本質をつく直感的なもの。

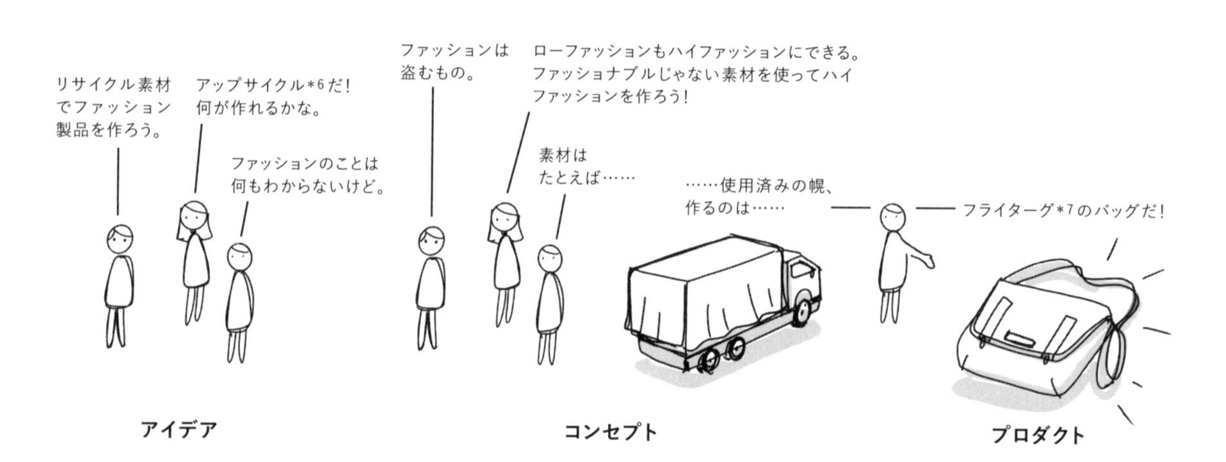
リサイクル素材
でファッション
製品を作ろう。
アップサイクル*6だ!
何が作れるかな。
ファッションのことは
何もわからないけど。
ファッションは
盗むもの。
ローファッションもハイファッションにできる。
ファッショナブルじゃない素材を使ってハイ
ファッションを作ろう!
素材は
たとえば……
……使用済みの幌、
作るのは……
フライターグ*7のバッグだ!
アイデア
コンセプト
プロダクト

17

コンセプトはアイデアを超えた先にある

アイデアとは、思いつきであり、重要性や持続的な価値がある場合もあれば、ない場合もあります。

コンセプトは、もっと広く、しっかりとしたものです。人間性や行動に関する洞察〔Lesson 16を参照〕から生まれ、その二次的産物としてプロダクトが生まれます。コンセプトは、芯が通っていると同時に、感覚的なものでもあります。プロダクトの造形や美的感性、ユーザーに与える感情などの方向性を示します。

「平均的な男性＝平均的な人」ではない

男性と女性の体は、化学的性質が異なり、薬に対する化学反応にも差がありますが、アメリカでは、医薬品の既定の試験対象は、体重155ポンド〔約70キロ〕の男性です。

グーグルの音声認識ソフトは、男性の声を女性の声より70%高い精度で認識します。

アメリカのオフィスの適正温度は、男性の新陳代謝を基準に設定されているため、女性には3度近く低く、寒すぎます。

ゴーグルやハーネスなどの安全器具は、男性の骨格を基準に作られています。女性は小さいサイズを選ぶことはできますが、体型の違いは我慢するしかありません。

アメリカ政府は、1950年に自動車衝突試験に、男性の50パーセンタイル〔成人男性の体格の中央値〕を基準にしたダミー人形を使用し始めました。男性より背筋を伸ばし、ハンドルとの距離が近い女性ドライバーの運転姿勢は「正しくない」とされ、試験や設計で配慮されませんでした。女性が事故で重傷を負う確率は、男性を47%上回ります。2011年に「女性」ダミーが導入されましたが、男性ダミーの縮小版でした。

おケガをされて、お気の毒です。

シンパシー

同情・思いやり

相手と同じ気持ちになるのではなく、
知識として、または観念的に
その気持ちを認識すること

あなたの辛さを思うと、胸が痛みます。

エンパシー

共感・感情移入

相手の状況に対する感情的反応。
相手の気持ちに自分もなること

同情を共感に変える

26歳のデザイナー、パトリシア・ムーアは、誰もが使えるプロダクトを作りたいと思いました。そこで、80歳の女性から見た世界の現実を知ろうと、実験を行いました。自ら耳栓をし、視界がぼやけるメガネをかけ、脚には歩行を妨げるギプスをはめました。

思い切って都市環境に足を踏み入れると、それまでふつうだと思っていた多くのものが、健康な若者だけを念頭においてデザインされていたことに気づきました。

ムーアの研究とそれに基づく提案は、今では当たり前になった、たくさんのイノベーションにつながっています。低床バスやニーリング〔車高調整〕機能つきバス、すりつけ勾配のある縁石、大きな文字の標識などです。障害者に配慮したこうした改革の多くは、健常者にもメリットがあります。車椅子のために傾斜をつけた縁石には、買い物カートやベビーカーを押す人も、歩車道間を移動する自転車乗りやスケートボーダーも助けられています。

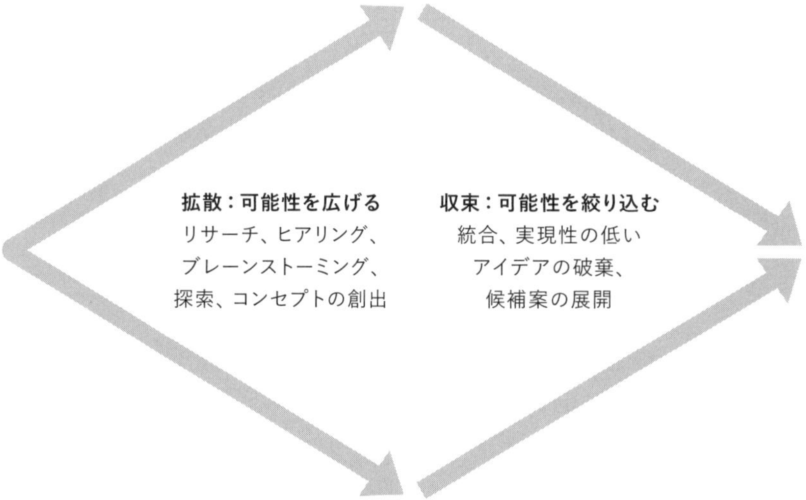

拡散：可能性を広げる
リサーチ、ヒアリング、
ブレーンストーミング、
探索、コンセプトの創出

収束：可能性を絞り込む
統合、実現性の低い
アイデアの破棄、
候補案の展開

デザインプロセスの序盤にこそ検討を重ねる

20

技術面の進捗は、デザインの進捗よりも具体的で実感しやすいものです。これという解決策をデザインすることは非常に難しいことですが、解決策を技術的に実現することは、多くの場合、比較的簡単です。

そのため、さっさと解決策を選んで機能設計などに移りたくなるものですが、１つの解決策に絞り込む前に、ぼやけた状態でのコンセプトの探索や妄想にたっぷりと時間をかけましょう。現実的な答えを求めず、あらゆる制約を取っ払って考えます。どこへも行き着かなそうな道にも踏み込んでみましょう。

フライパンをデザインするなら、２週間くらいはパンケーキを返したり、自由にアイデアを描いたり、ラフモック〔あり合わせの素材などで作る簡易な模型〕をこしらえたりする時間に充てたいものです。

根気のいるリサーチや構造的な手法も無視してはいけませんが、あまり早くから金型や部品、コストなどについて考えるのはお勧めできません。

プロダクトの「人格」を早めに検討する

次のような問いに答えてみましょう。

プロダクトを初めて知った人に、どんな気持ちになってほしい？　五感のどれに訴えたい？

見て、触れて、使用したときにどう感じてほしい？　どんな素敵な体験を思い出させたい？

プロダクトの内なる性質は？　無感情、頼もしい、ミステリアス、陽気、押しが強い、自己完結、気まぐれ、派手、レトロ、不格好、落ち着きがある？

しっくりくる大きさやバランスは？　ふさわしい色、質感、形状、模様は？

コントローラー、ボタン、ハンドルなどのインタラクションポイント〔ユーザーとの接点〕の大きさや種類は？

従来型か最先端か？

ユーザーが求める価値は、安全、丈夫、ファッション性、女性らしさ、目立たないこと、技術革新？

どんなメタファー（比喩）でプロダクトの使用体験を表せる？

使い続けて実感してほしいことは？　満足したユーザーはどのようにプロダクトを紹介する？

意図するユーザーの人柄は？　どこをくすぐればアピールできる？

WHY WHY
WHY WHY WHY WHY
WHY
WHY WHY WHY WHY WHY WHY HOW WHY WHY WHY
WHY WHY HOW WHY HOW HOW HOW HOW HOW
WHY HOW HOW HOW HOW WHY HOW
WHY WHY WHY WHY WHY WHY WHY HOW WHY HOW HOW
WHY HOW WHY HOW WHY HOW WHY HOW HOW
WHY WHY HOW HOW WHY HOW WHY HOW HOW HOW HOW
HOW WHY WHY WHY HOW WHY
WHY HOW WHY WHY WHY WHY HOW HOW
WHY WHY WHY

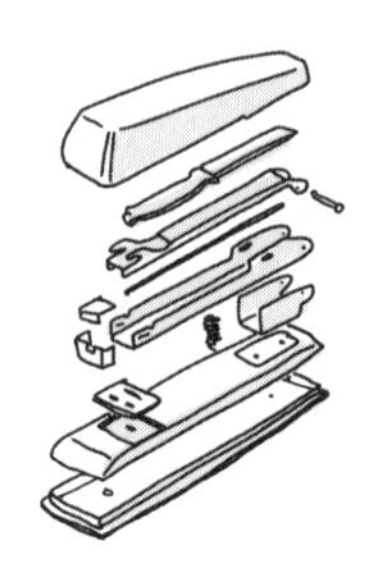

Whyの間にHowを、Howの間にWhyを考える

デザインプロセスの序盤は、Why〔Lesson 4を参照〕に関する作業が中心になります。ユーザーはなぜ悩みを抱えているのか。現存する解決策ではなぜ不十分なのか。なぜ計画Aのほうが計画Bよりも価値が高いのか。

デザインプロセスが熟すにつれ、作業の焦点は、ある解決策をどのように(How)実現するかに移っていきます。細かい寸法、機械的あるいは電子的な働き、材料の種類や厚み、ディテール、留め具、仕上げ、製造方法などの具体的な検討です。

Whyの作業とHowの作業は内容が違えど、互いに依存関係にあります。Whyの探索によって可能性のある解決策が浮上したときには、少しの間、Howのフェーズに進めてその実行可能性をテストし、その後またWhyの作業に戻ります。同様に、Howのフェーズでも、事あるごとに本質的なWhyの質問に立ち返り、技術検討の指針にします。

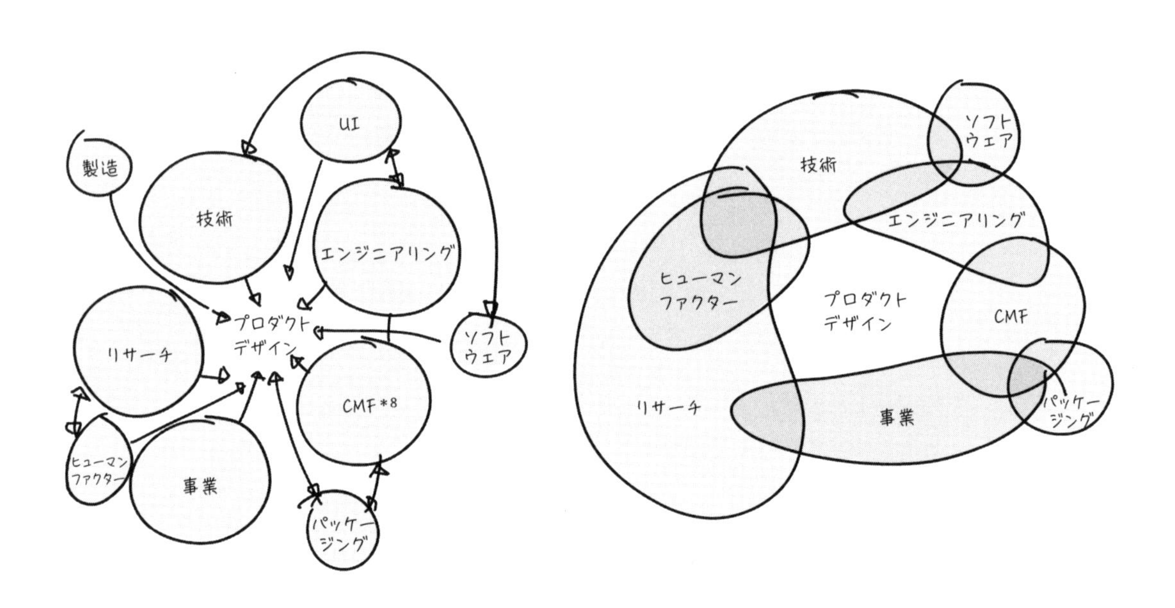

マルチディシプリナリーチーム　　　　インターディシプリナリーチーム

すき間ができるより、侵食し合うほうがよい

　デザインは、本質的にマルチディシプリナリー（多職種型）ではなく、インターディシプリナリー（職種横断型）です。チームのどの分野の決定も、他のすべての分野に影響を及ぼすからです。

プロジェクトマネージャー　プロジェクトの立ち上げと定義。全体の進行、スケジュールや予算の管理、会議の主催。
マーケティング担当　企業のブランド価値の表現、既存製品の分析、消費者の関心、市場規模、価格に関する調査の実施。
エンジニア　プロダクトを機能させ、量産可能にし、納期に間に合わせる。
リサーチャー　市場機会の検討、ヒアリングや二次調査〔既存データの分析〕の実施、消費者のニーズや価値観の見きわめ。
ユーザーインターフェース（UI）／ユーザーエクスペリエンス（UX）デザイナー　デジタルスクリーンインターフェース〔Webサイトやアプリなどのデジタル媒体のインターフェース〕のデザイン、ユーザビリティの担保。
事業戦略担当　プロジェクトの財務目標の設定、事業への影響の明確化。
プロダクトデザイナー　調査結果、マーケティング、ブランディング、製造の要件などを踏まえたプロダクトのデザイン。

ベース部の先細り形状

・金型から抜きやすい
・パーツを重ねられる
・見た目にも実際にも安定感がある
・ディスプレイに傾斜がついて見やすい

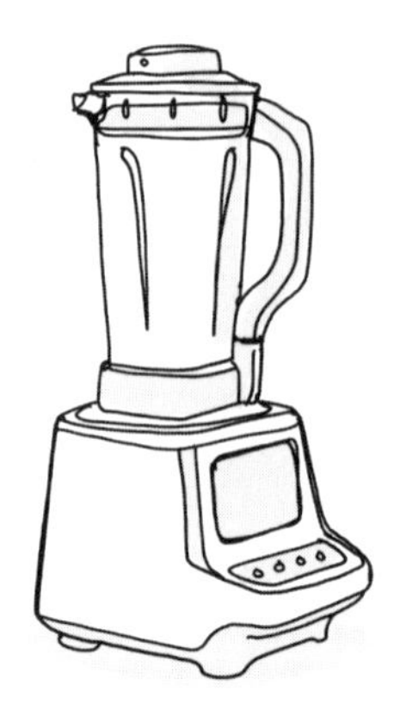

角の丸み

・触り心地が良い
・角を立てるより構造強度が増す
・やさしい印象を与える

形態は機能に従う……だけじゃない

モダニズムは、**機能主義**である。なぜなら、形態は機能を果たすために存在し、役に立たない形態や装飾はすべて排除すべきだと断じているからです。

デザインをする中で、一番考えなければならないのは機能かもしれませんが、デザイン哲学とは関係なしに、プロダクトには、機能以外にも対応すべき要素がたくさんあります。多くの要素に応えるデザインほど、プロダクトを成功に導く可能性が高まります。

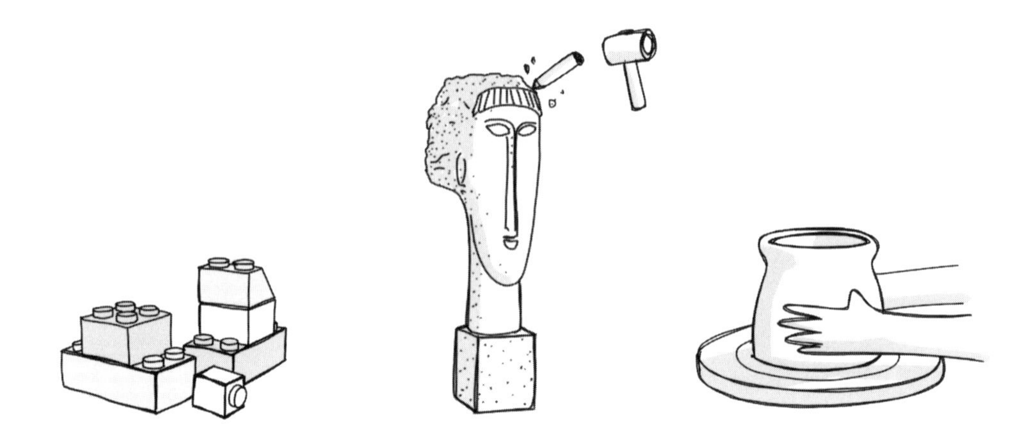

造形コンセプトの3つの方向性

足し算の造形　複数パーツの組立や結合、集塊、交差などによって作られたような形態。メカニカルな印象を与える傾向がある。典型的なフィルムカメラが一例。

引き算の造形　切削などにより材料を取り除いたような形態。旋盤を使って削り出した木製品など。一体感のある外観をしている傾向がある。

変形型造形　元のカタチに、押す、引くなどの力を加えたような形態。有機的な外観をしている場合が多い。自転車のサドルなど。

形態の中には、どのように作られたかがダイレクトにわかるものと、そうでないものがあります。「変形型の形態を持つ花瓶」の場合、3Dプリンタ（足し算型の積層造形）か、CNC〔コンピュータ数値制御〕フライス盤（引き算型の切削加工）か、両者の組み合わせで作られている可能性があります。

タージ・マハル（インド、アグラ市）

「美は普遍的なものである」の嘘

26

ある文化で美しいと見なされているモノは、必ずと言ってよいほど他の文化でも美しいと見なされています。ところが、作られているモノは、文化によって大きく異なります。官能的な形態を生みだす文化もあれば、禁欲的でハイテクな形態を評価する文化もあります。装飾的で華やかな外観に価値を見出す文化もあれば、ありのままの姿を好む文化もあり、直線的な形態を良しとする文化もあれば、曲線的な形態を良しとする文化もあります。

美意識が共有されているとすれば、なぜそのような違いが生じるのでしょうか。それは、他の要素 ── 権力や名声の顕示、歴史との関連づけ、物理的条件など ── もモノの見た目を左右するからであり、こうした要素をどれだけ重んじるかは文化によって差があるからです。美意識は非常に似通っていても、美的表現は大きく異なるのです。

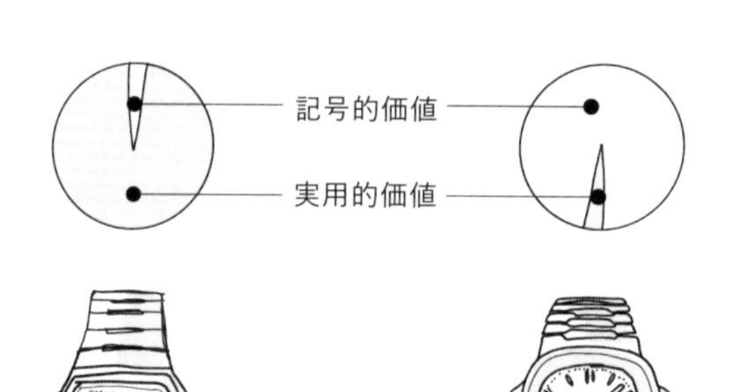

カシオ　$10

パテック フィリップ　$80,000

25ドルのケトルに求められるもの：
湯沸かしと笛吹き機能、信頼性、見た目の良さ
900ドルのケトルに求められるもの：
何より美しいこと

どんな機能がいくらぐらいするかは、市場経済の下では自然とだいたい決まってくるものです。

たとえばカシオの10ドルの腕時計には、ほぼ時計機能としての価値しかありませんので、現在時刻を知らせる機能の**実用的価値**は、9ドル前後であると言えます。

パテック フィリップの腕時計の中には、価格が8万ドルするものもあります。つまり、その価値のほぼすべてが**記号的価値**、つまり身につける人にとってのステータスであることがわかります。威信という抽象的な価値には、相場はないのです。

電子書籍リーダー

見れば何をするかがわかる

　プロダクトの持ち方や使い方をそれとなく伝え、インタラクション〔人とプロダクトとのやりとり〕を促す。良いデザインには、プロダクトとの関わり方を示すヒントがあり、それを**アフォーダンス**といいます。ドアはドアノブを回して引けば開く。ティーポットは取っ手を握り、反対側の注ぎ口から注ぐ。スイッチは上を押せば「入」、下を押せば「切」。アフォーダンスは、そのアクションに対するユーザーのメンタルモデル〔こうやったら、ああなるというイメージ〕に即しているのです。

　ユーザーの経験を利用したアフォーダンスもあります。ジュースの缶がプルタブからステイオンタブになったとき、開け方は学び直す必要がありましたが、どこを開けるかはわかっていました。

　グローバルに展開するプロダクトの場合、文化によって異なるアフォーダンスを把握するのは簡単ではないかもしれません。たとえば、しゃがんでする和式トイレを見て理解できる欧米人はあまりいないでしょう。

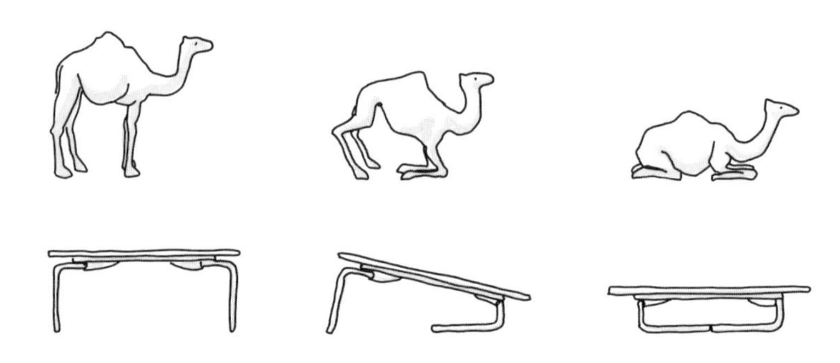

リチャード・ノイトラ*9のキャメルテーブル、1930年代後半

真似るべきは、自然界の形態ではなく機能

自然を模範にしたイノベーションは数多くあります。

面ファスナー〔マジックテープという呼び名は商標〕は、動物の体にくっついて生育場所を広げる植物の種や実〔いわゆる「ひっつき虫」〕をモデルに発明されました。

自然の優れた仕組みを学び、応用する研究分野を**バイオミミクリー**〔bio（生物）+ mimicry（模倣）〕と言います。これは、自然界に存在するものの視覚的な形態を真似ることではなく、その構造特性や機能特性を応用することです。

ジョエ・チェーサレ・コロンボ*10がデザインしたショートステムのワイングラス、1964年

温故知新

ワイングラスにステム（脚）は必要か。ステムは、何世紀も前に、長い脚の付いた金属製ゴブレットが身分を象徴していた頃の無意味な名残だ、とデザイナーのカリム・ラシッドは言います。それを踏襲することは、ユーザーの本当のニーズを無視することだ。たとえば、揺れる飛行機の中で、ステムグラスでワインを飲むことは理にかなっているだろうか、と。

とはいえステムグラスは、今の時代でもなお、さまざまな場面で幅を利かせているようです。ワインが供されることの多い特別な席には、その優雅なフォルムがふさわしいからでしょう。乾杯にはステムグラスならではの「チン」の音が付き物ですし、ステムグラスは、テーブルに置かれているときも、ボウルが高い位置で輝きを放ちます。

ステムがなくてもワインの容器としては十分ですが、ワインを演出するのは、やはりステムグラス、ということでしょう。

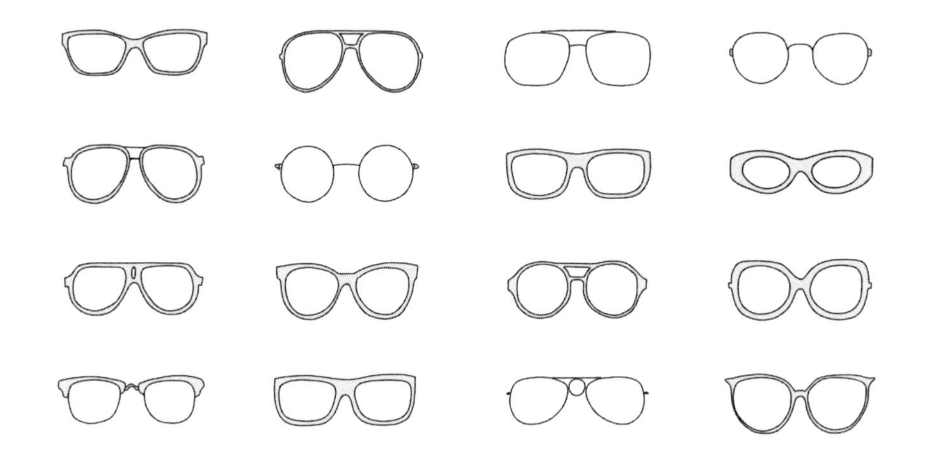

カタチが意味するもの

カタチには深い歴史があり、埋め込まれた意味があります。エクセキューション〔コンセプトの具体化、表現化の方法〕のわずかな違いで、プロダクトの解釈、歴史や文化との関連性、受け入れる層が根本から変わる可能性があります。

13世紀に誕生した初期のメガネは、純粋に機能さえ果たせばよかったため、丸めがねでした。その後、ファッションアイテムとして他の形態が出現すると、丸めがねは、その機能的なルーツと結びついた意味を持つようになりました。ジョン・レノン、スティーブ・ジョブズ、マハトマ・ガンジーといった多彩な人々がシンプルさ、ストレートさ、知性、禁欲、精神性の象徴として愛用しました。ファッションをファッショナブルに否定する方法を示そうとした、と言えるかもしれません。

アビエーター・サングラスは、1930年代、ごついゴーグルに代わるものとして、パイロット用に開発されました。軽さ、全体に丸みを帯びたスタイル、眼窩をぴったり覆うシンプルな形状で大当たりしました。ダグラス・マッカーサー元帥を写した第二次世界大戦の有名な報道写真のおかげで、冒険をイメージさせるメジャーなシンボルになりました。

伝統的なデザイン

手の込んだ複雑な外観を重んじる傾向がある。足し算や集積による造形が多い

モダンデザイン

単純化したり一体化したりする傾向がある。内部の複雑さを隠し、大量生産がしやすい単純な造形が多い

Eleganceは、Extravaganceの反対

Elegance（瀟洒）は、ムダのない美しさです。エレガントな形態は、ミニマルに見えながら、洗練と複雑さを内包しています。Extravagance（豪奢）は、機能、装飾、ディテールの多用によって与える複雑な印象です。両者は概念的に相反していますが、すべてのデザインが必ずどちらかに当てはまるわけではなく、Eleganceは、Extravaganceの削ぎ落としではありません。ミニマルだからといって、エレガントだとは限らないからです。

EleganceとExtravaganceは、どちらも美的なデザイン戦略として有効ですが、そこには可能性もリスクもあります。失敗すると、Extravaganceはゴテゴテしたうるさいものになり、Eleganceは単純すぎてつまらないものになります。

朝鮮陶磁器は、わざと微妙に左右非対称にすることによって、緊張と緩和を生みだしている

不協和は好ましい

陶芸家のピート・ピネルは、マグカップの収集家でもあります。彼は、リンダ・クリスチャンセンの作るマグカップの素朴さに惹かれたものの、取っ手のカーブが指に食い込み、カップの縁に口をつけるとザラザラしました。ピネルはがっかりし、カップを片付けてしまいました。

しばらくして再び使ってみました。2度目の「オーディション」で、そのカップの心地悪さゆえに、自分がひと口ひと口意識して飲んでいることに気づきました。それまで何年もの間、ただぼーっと「味わいもせずに」お茶を飲んできたことが悔やまれました。

この体験で、ピネルの芸術に対する認識が変わりました。「完全調和は、面白みに欠ける場合がある。(中略)ほんの小さな不協和が、ほんのわずかでもあることが、いつまでも人の興味を惹き続ける味のある作品には必要なのだ」

胸ポケットの裏地を
引っぱり出すと
ポケットチーフに

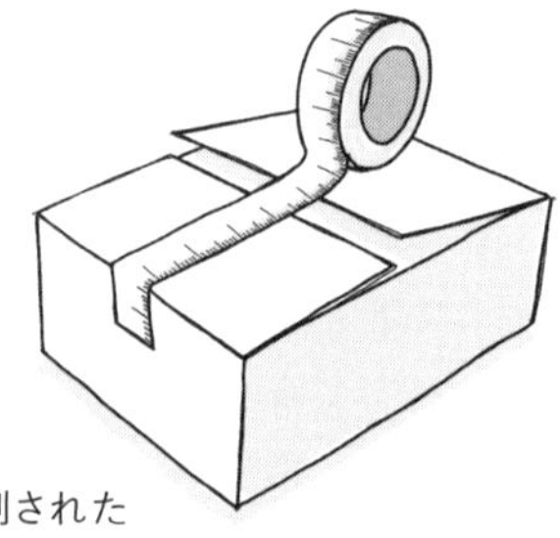

定規の目盛りが印刷された
梱包用テープ

着脱が容易なレゴブロックの
キーホルダー

ナイスアイデア＝意外性＋実用性

「ナイスアイデア」は人を楽しくさせますが、そうさせるのは、基本的に、感情的な要素ではなく、機能性です。その魅力は、多面的でありながら意外に単純な解決策やディテールにあります。根幹の機能的な問題を解決しながら、機能的な価値を少なくとももう１要素、付加しているのです。

ギミック〔人の注意や興味を引くための仕掛け〕は、最初は楽しいかもしれませんが、機能的な価値がほとんどかまったく付加されていないため、関心は長持ちしにくいでしょう。ギミックは気づかせる必要がありますが、気づかせようとしなくても気づかれるのがナイスアイデアです。

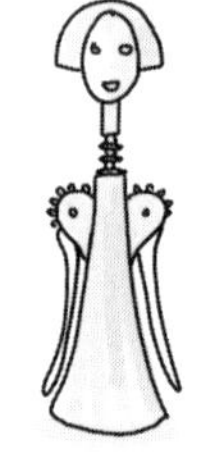

ビアジオ・チソッティ*12作
Alessiの栓抜き
Diabolix

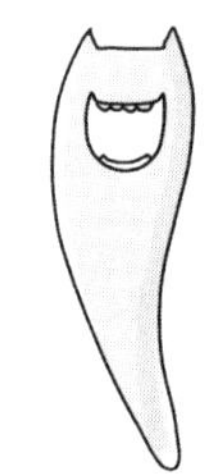

フィリップ・スタルク*13作
Alessiのレモン搾り器
Juicy Salif

アレッサンドロ・
メンディーニ*11作
Alessiのワインオープナー
Anna G.

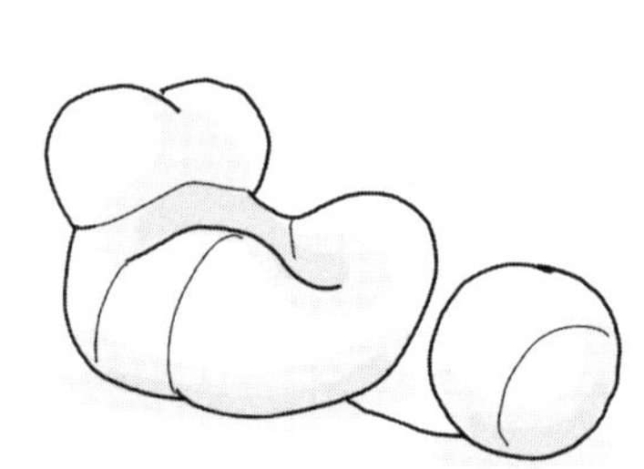

ガエタノ・ペッシェ*14作
B&B Italiaのラウンジチェア、Up

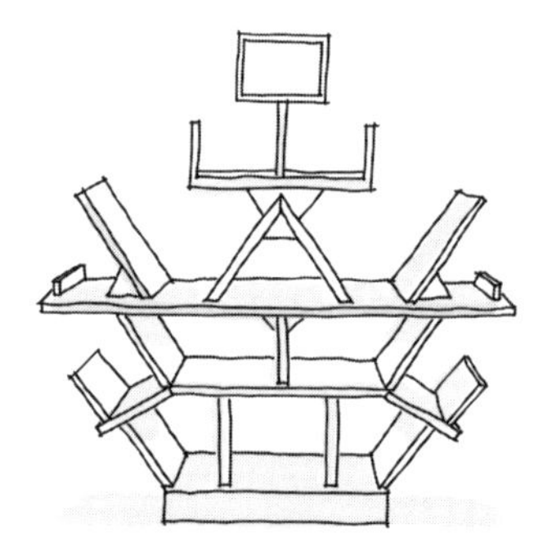

エットレ・ソットサス*15作
メンフィスミラノの間仕切り兼書棚、Carlton

遊びがある＝オモチャ、とは限らない

遊びのある形態が最も効果的なのは、一般的な家庭やオフィスによくある、ふつうのありふれたプロダクトに使われたときです。それは、万人がそうしたプロダクトの機能をよく知っているため、混乱されにくいからです。

デザインに遊びが欲しいときには、プロダクトのもともとの形態が何かを想起させないか考えます。その何かは、キュートやキッチュ〔Lesson 37を参照〕といったものではなく、奇抜で愉快なものです。リアルな表現にならないようカタチを単純化します。ネコ型ノコギリを作るとしたら、木を切る能力があまりなさそうなネコを忠実に再現するより、なんとなくネコに見えるくらいのほうが違和感なく受け入れられるでしょう。目や手足など、モチーフのもともとの特徴やディテールをプロダクトの機能に活かします。

最後に、使い捨てでも子ども騙しでもないことを示すために、質の高い素材を選びましょう。

オモチャに可愛さは必要ない

「リトル・レッド・ワゴン」と呼ばれるラジオフライヤーは、アメリカで定番の子どものオモチャですが、いわゆるオモチャのようなカタチをしていません。1930年代に発売され、今も製造されています。ボディは、プレス加工された金属製で、頑丈な工業製品のようです。角R〔角のカーブの半径〕が大きく取られているため、安全に遊べます。黒いゴムタイヤと大きな白いハブのホイールは、滑らかに回転します。ワゴンに荷物を積んで引いたり、乗り込んで坂道を滑走したり、使い方は自明です。

よく考えられた子ども用製品に「ディズニー節」は要りません。作為的なイメージやスタイリングは、一時的に売り上げに結びつくかもしれませんが、いずれ飽きが来てプロダクトを陳腐化させます。また、著作権使用料によって価格も高くなります。

キャンプは意識的、キッチュは無意識的

camp（キャンプ）　通俗的な主題や性質を誇張することによって生じる、芝居がかったおどけた調子や自虐性〔ドラァグクイーン、ゲイカルチャーと深く関わる〕。

cheesy（安っぽい）　大げさな表情や身振りなどを使い、特定のリアクションを狙った、真実味や繊細さに欠けた表現。

kitsch（キッチュ）　低俗さ、けばけばしさ、またはノスタルジックな美的要素を持つ芸術作品やオブジェクト。物知りが悪趣味だと思いながらも惹かれるもの〔大衆文化や土産物によく見られる〕。

schlocky（粗悪）　質が悪く、ろくでもないこと。

tacky（ダサい）　オシャレさや富、ステータスをあからさまに誇示しようとするが、実際には、洗練や上品さに欠けること。

taste（趣味）　個人の美意識。知識、偏見、経験、保安、教育、階級アイデンティティなどの影響を受ける。

trite（陳腐）　独創性がなく、使い古されている。ほとんど価値がないこと。

twee（スイート）　わざとらしく、または少し鼻につくほどキュート、絵に描いたよう、レトロ、または感傷的なこと。

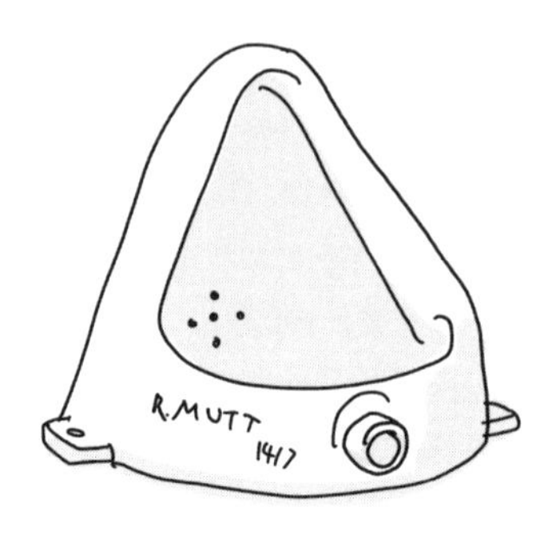

マルセル・デュシャン*16作、泉、1917年

カメラがモダンアートを生んだ

視覚芸術は、歴史的に「再現」であると同時に「創出」でありました。言い換えると、世界をありのままに描写しようとし、同時に芸術家の主観的な意図を伝えようとしました。ところが、現実をきわめて正確に写し出すカメラが発明され、芸術の伝統的な役割の半分をカメラに盗られてしまいました。

それを受けて、芸術は、再現よりも創出を重視するようになりました。その眼差しを自身に向け、こう自問するようになったのです。「結局、芸術とは何なのか」「絵の具は絵筆で塗らなければいけないのか」「芸術作品は一度完成したらそれで終わりか、それとも変わり続けるべきか」「芸術は一貫したストーリーを語るべきか、従来の意味で美しくあるべきか」「芸術は高尚であるべきか、平凡な現実を描いてもよいのか」「芸術がリアリティを描くとして、リアルとはどういう意味なのか」

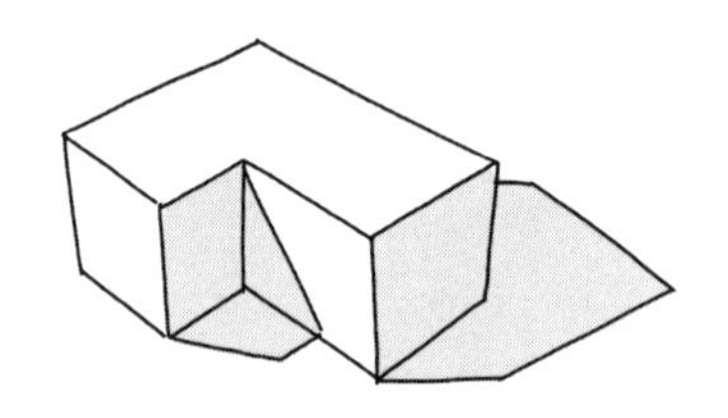

リアルな影の描写
描くのが難しく、
ふつうは必要ない

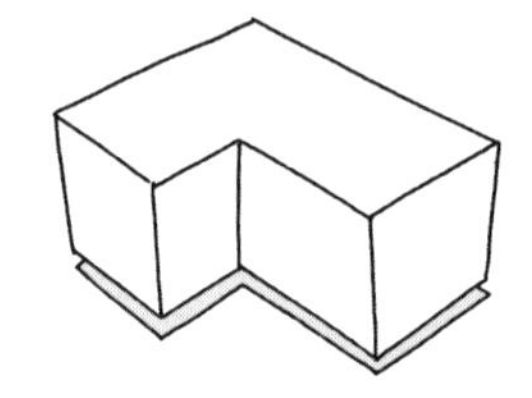

記号的な影の表現
ドロップシャドウで簡略的に
奥行きを持たせる

芸術家ではなく、デザイナーらしく描く

表現的ではなく効率的に描く。アート作品にしようとせず、短時間で、アイデアを明確に視覚化する。

リアルではなく記号的に描く。見る人に受け取ってほしいメッセージに焦点を絞り、周辺的なディテールは省く。

独自のスタイルを追求しない。それは時間とともに自然に現れる。

素早く描く。パソコンは詳細なレンダリング〔デザイン意図を伝えるために、目指す形態、質感、グラフィック要素などを具体的に描画したもの〕に使用する。手描きスケッチで最も重要なのは、素早く視覚化すること。会話のようにアイデアを伝達する。

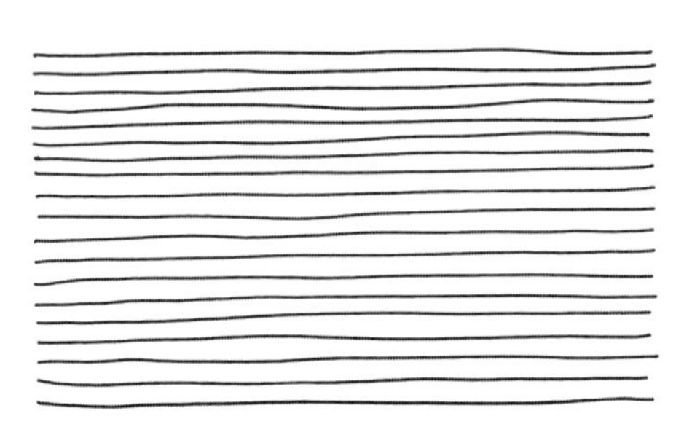

直線の描き方

フェルトペンを使う。長い線を描くときには、線が見やすいように太めのペンを使うと、出来が評価しやすい。

1本1本をゆっくり描く。急いで描くと、方向がコントロールできず真っ直ぐになりにくい。

腕全体を動かす。肘を支点に前腕を動かすよりも、腕全体で手を引くようにすると安定する場合がある。

多少波立った線でもOK。全体を見たときに真っ直ぐに感じ、弧を描いていなければ良しとする。

筆記具を回しながら描く。そうすると真っ直ぐな線が描きやすい場合がある。

シュッとはらわない。始まりと終わりをしっかり止める。

安定して直線が描けるようになるまで続ける。体が覚えるまで、適度の練習で少なくとも数週間はかかる。

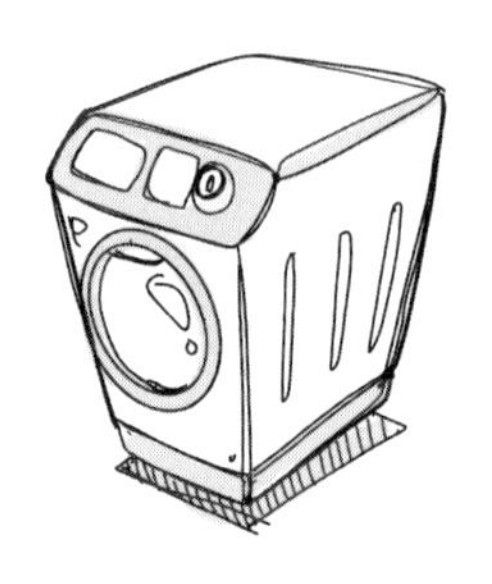

強いパース
ダイナミックさを感じるが、
歪んでいる

緩やかなパース
正確だが、プロダクトの
「人格」は伝わらない

表現は透視図、検討は投影図で

透視図は、プロダクトの全体的なイメージを素早く共有し、空間や使用場面との関係を見せることでアイデアを強く印象づけられます。

一方、**投影図**（平面図、断面図、立面図）は、アイデアを発展させるのに役立ちます。投影図は本来、立体を正確に表すものであるため、とくに原寸大で描くときに、寸法、バランス、ディテールなどを具体的に検討し、詰めていく必要に迫られます。

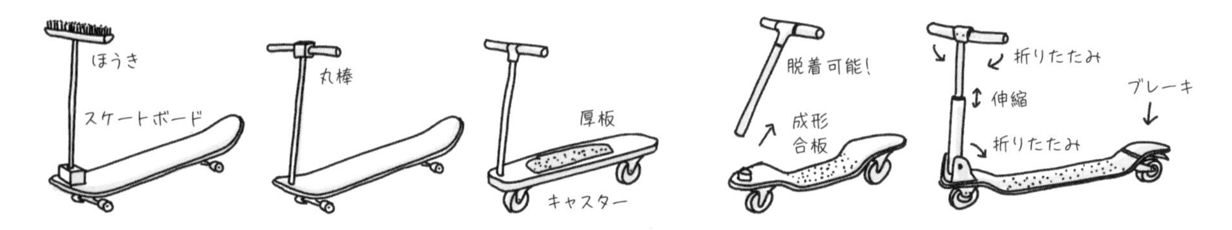

モックアップ
初期に行う、コンセプトやユーザー
体験に関する全般的な探索

プロトタイプ
最終プロダクトを想定した
細部の検討とテスト

外観はレンダリング、体験はモックアップで

42

　アーティスティックに描かれたレンダリング〔Lesson 39を参照〕はかっこよく、見る人の感情に訴え、プロダクトの視覚的な特徴や魅力を一瞬で伝えます。ですが、プロダクトの使用感が体験できるのは、モックアップ（一般的には3次元のラフモデル）やプロトタイプ（最終プロダクトに近いモデル）だけです。

スチレンボードは、3回に分けて切る

1. 上のシート
2. 発泡スチロール
3. 下のシート

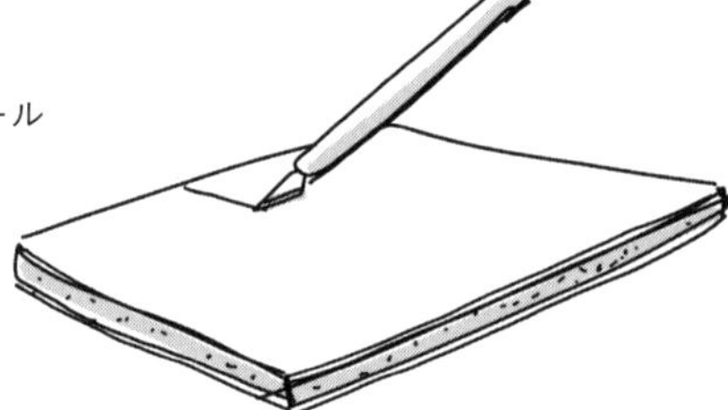

モックアップの目的は、表現と発見

具体的な問いに答えるため。モックアップやプロトタイプは、あなたが「こうではないか」と思っていたことを裏付けたり否定したりしてくれるものです。プロトタイプの失敗は成功のもと。うまくいかなかったところや問題点が明らかになり、次にどうすべきかを教えてくれます。

新たな問いを発見するため。アイデアを完璧にモデル化することより、それまで思いつかなかった問いを思いつくような状況を作ることが重要です。

原寸大で作る。そうすると、空間におけるプロダクトの存在感、ユーザビリティ、身体との関係などが確認できます。原寸大の立体モデルを作ることが難しいときは、原寸大の２次元描画でも目的が果たせる場合があります。

ラフに作る。初期段階では、あり合わせの素材をテープで留めて作る「フランケンプロトタイプ」でも、一般的なユーザー体験をシミュレーションできます。

要素の数を限定する。時間や費用を極力かけないように、カギとなる探索に焦点を絞ります。デザインの段階を追うごとに、スタディも複雑化、複合化していくはずです。

プロダクトは必ず移動する

据え置き型のプロダクトであっても、持ち運べることは非常に重要です。重量のある大きなプリンタは、何年も同じ場所に置かれっぱなしになるかもしれませんが、設置のときや、滅多にない移動が必要な場面で「あってよかった」と思うのが側面につけられたくぼみです。

製品寿命のほぼすべてを定位置で過ごす家庭用冷蔵庫の底にはキャスターがあり、マットレスの側面には取っ手がついています。

プロダクトは、人の役に立った後、再び移動し、解体され、廃棄または再利用されるのです。

保管中
収納されている
プロダクト

待機中
使用コンテクストにあるが
稼働していないプロダクト

稼働中
コア機能を果たしている
プロダクト

使用モード

プロダクトは、使われていないときも仕事をしている

サイドボードの「使用中」とは、いつでしょうか。居間やオフィスに設置されたとき、その中や上にモノが置かれる瞬間、それともそこに鎮座している間でしょうか。

多くのプロダクトが、コア機能を果たしていないときにも仕事をしています。家具、照明設備、お皿の他、無数のプロダクトが背景や美的なオブジェクトとして機能し、あるいは稼働していない間も万全な体勢で待機しています。

プロダクトの最終的な有用性は、その**主要用途**（意図された機能や使い道）よりも、**コンテクスト**（製造、輸送、展示、設置、保管、廃棄など）によって決まる場合があります。高性能な窓用エアコンをデザインしても、実際の性能は、設置品質に左右されます。ヘッドホンのデザインでは、快適な装着感が不可欠ですが、ユーザーによっては、携帯性や収納性に優れた折りたたみ式かどうかが決め手になるかもしれません。

汎用型モジュール

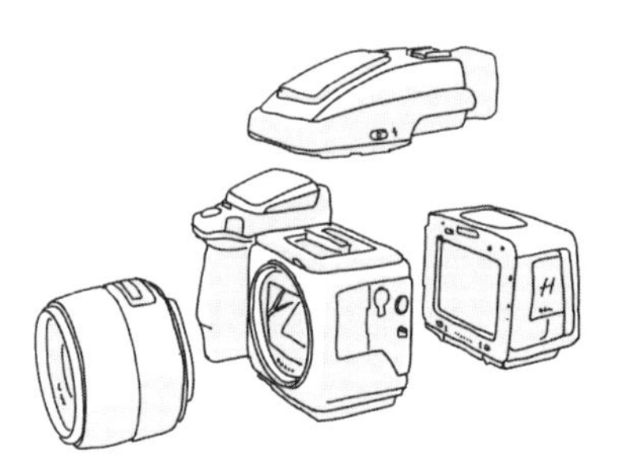

特化型モジュール

近いものは何でも作れる VS 限られたものを完璧に作れる

モジュールとは、完成品を構成する規格化された組み立てユニットです。ユーザーには、高い柔軟性と移動性、メーカーには、デザイン、エンジニアリング、生産、在庫管理の効率化というメリットがあります。

汎用型モジュールは、お城でもクジラでも、ほぼどんなカタチにも組み立てられますが、出来上がるのは、近似形状、近似表現です。たとえばレゴで作るオブジェクトは、意図したオブジェクトの「レゴ版」近似形状です。

特化型モジュールでは、限られたものしか作れませんが、組み立て品はいずれも特定のニーズに応えるようにできています。たとえば、ハッセルブラッドは、構成の自由度の高いカメラモジュールを製造しています。モジュール式のオフィス家具やキッチンキャビネットも同様に組み合わせや構成を変えられます。

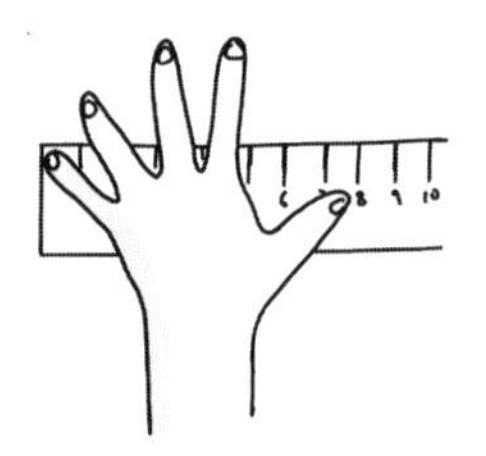

広げた手の幅
通常　18〜23cm

イス
座面高さ
45cm前後*17

テーブル
天板高さ
76cm前後*18

1ガロン
15x15x15cm 目安

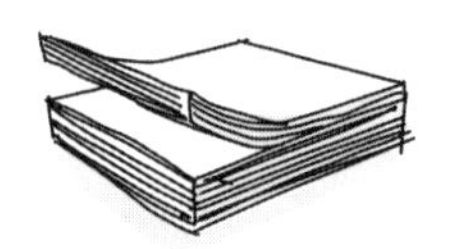

付箋 11枚
約1mm

身近な世界を数字で把握する

日頃から身の回りにあるあらゆるモノの寸法を予測し、その後実際に測ってどの程度惜しかったかを確認する癖をつけるとよいでしょう。コントローラーやボタンの寸法、間隔を測りましょう。座っているときの目線の高さや、テレビの画面サイズと視聴距離との望ましい比率を割り出しましょう。駐車している自動車の間隔、スマートフォン上のアイコンの間隔。ジュースの缶、携帯電話、紙幣、家の鍵、文庫本、エアコン、ディナープレート、シーズーの寸法を測りましょう。

500ml

500ml

体重100キロの人は、
体重50キロの人の倍の大きさではない

　モノの体積や質量を「わかったつもり」でいるのは危険です。立体物のあるべき大きさ、形状、外観、エルゴノミクス〔日本語では人間工学と呼ばれることが多い〕は、原寸大のプロトタイプを、意図される環境や状況で見たり使ったりすることによってしか判断できません。1/2スケールのプロトタイプさえ、当てになりません。評価するには十分だと思うかもしれませんが、それでは体積が原寸大モデルの1/8にしかならないからです。

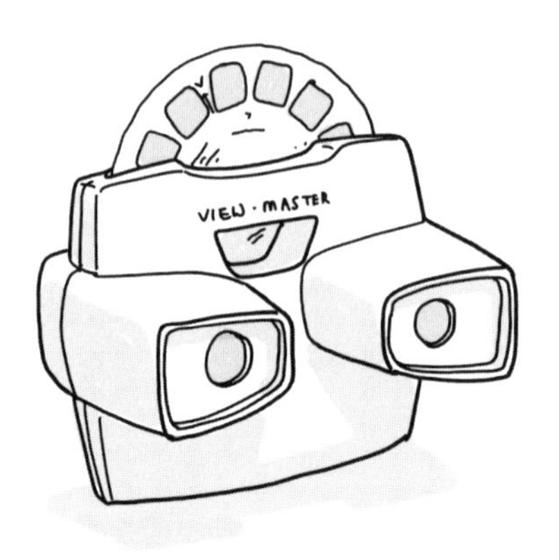

チャールズ・ハリソン*19がデザインしたビューマスター*20、1958年

厚みが10%増すと、強度が33%アップする

消費者は、使われている材料の剛性で、プロダクト全体の品質を判断する傾向があります。

ほとんどの素材は、厚みをわずか10%増しただけで、強度と剛性がなんと約33%も向上し、ねじれや筐体のきしみ、オイルキャニング〔板金製品のペコつき〕などの構造的問題や不快感が緩和されます。

3本脚
素早いセットアップ、
水平の確保

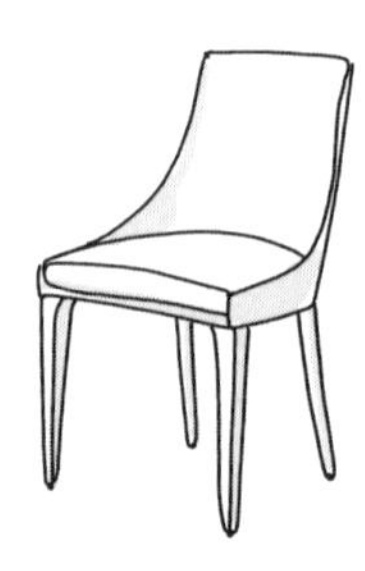

4本脚
静止したモノの
安定

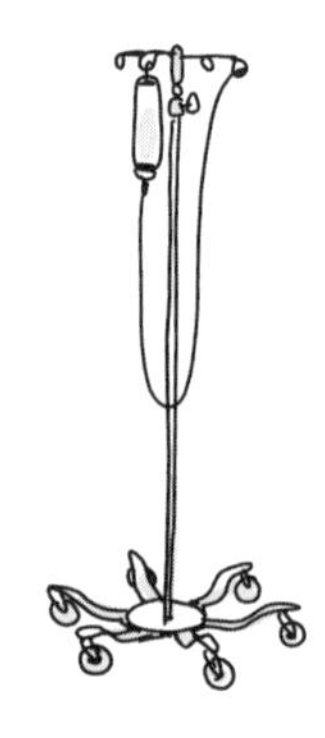

5〜6本脚
キャスター付き
製品の安定

重力

下が太く上が細い物体は重心が低く、その逆の物体よりも倒れにくいことは、誰もが直感的に知っています。人がモノを見て感じる安定感は、この認識からきています。典型的なランプシェイドのように、倒れそうにない物体でも、上部が細いほうが視覚的に安心できる場合が多いのです。

紙コップは、注ぎやすさ、飲みやすさ、重ねることを考えて、上に行くに従って広がっているため、重力に配慮していないように見えます。たしかに倒れにくいとはいえません。しかしその形態は、別の意味で重力に引っ張られています。手に持ったとき、重力で下に引っ張られ、親指と他の指でできる半円に収まるのです。カップが末広がりだったら、とても持ちにくかったでしょう。

プロダクトにはそれぞれ適正重量がある

家具の世界では、重さは上質さのしるし、ノートパソコンではその逆でしょう。一方、軽さは、ヘッドフォンでは性能の良さ、フライパンではチープさをイメージさせます。靴底がしっかりした重いビジネスシューズには品質の良さを感じ、いいスポーツシューズには軽さやしなやかさを感じます。使い捨てのペンは軽く、万年筆は耐久性や威厳を表すために重くあるべきです。使い捨ての剃刀は軽く携帯に適し、家で使用する剃刀は重厚で長持ちしてほしいものです。

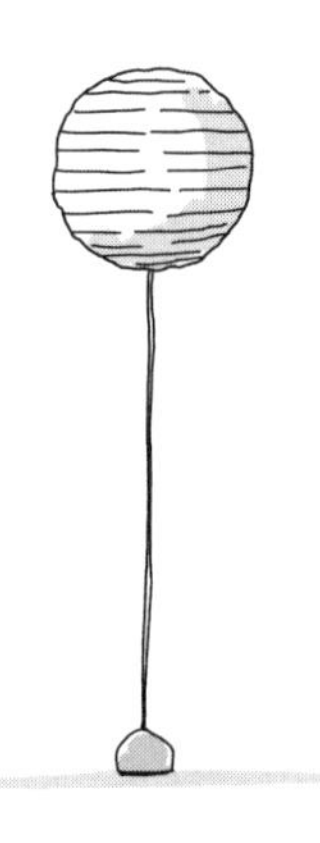

イサム・ノグチ*21のフロアランプ

「重さのなさに意味を与えるのは重力である」

—— イサム・ノグチ

52

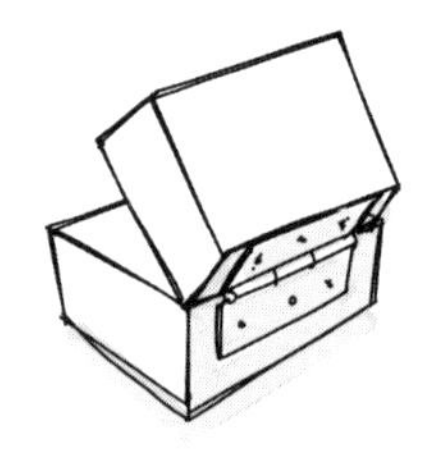

外付けの定番ヒンジ（蝶番）
コンセプトを表現せず
強化しない

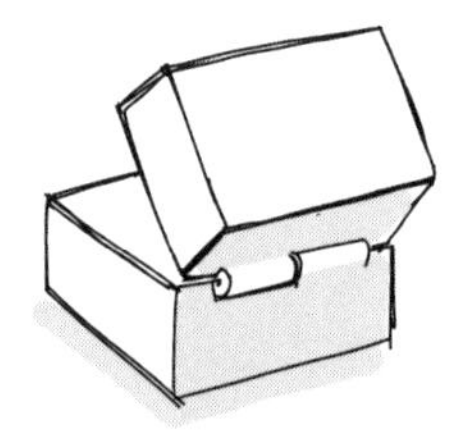

物理的に一体化されたヒンジ
コンセプトと関連している場合と
していない場合がある

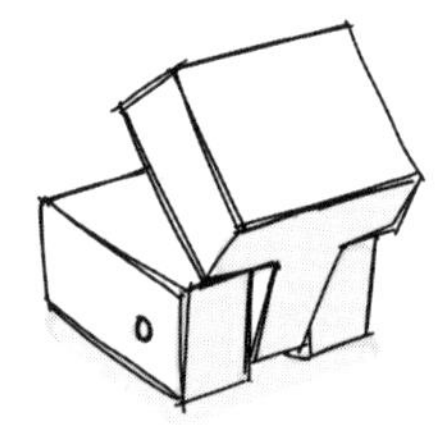

コンセプトと一体のヒンジ
プロダクトコンセプトと
切っても切り離せない

ディテールはコンセプトそのもの

　ディテールは、プロダクトの細かい部分、というだけではなく、デザイン意図を表現できる場です。

　コンセプトが「滑らかなミニマリズム」ならば、角を丸め、つなぎ目や留め具を隠し、ボタンを埋め込んで段差をなくすでしょう。

　構築的なイメージを狙うなら、形態を足し算で組み立て、パーツごとに色や仕上げ、素材を変え、留め具を露出させ、開口部の奥行きを深く取るなど装飾によって接続部を強調すると効果的です。

　ディテールからコンセプトを、コンセプトからディテールを見直します。もしコンセプトを支えるディテールが実現できないのであれば、それはコンセプトを考え直す合図かもしれません。

53

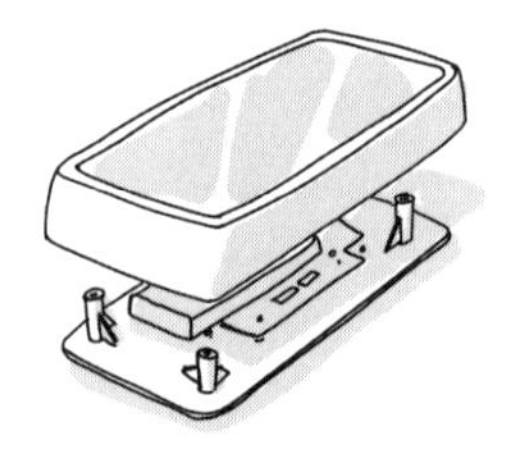

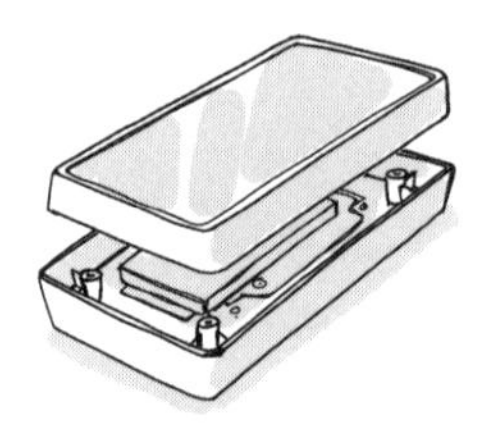

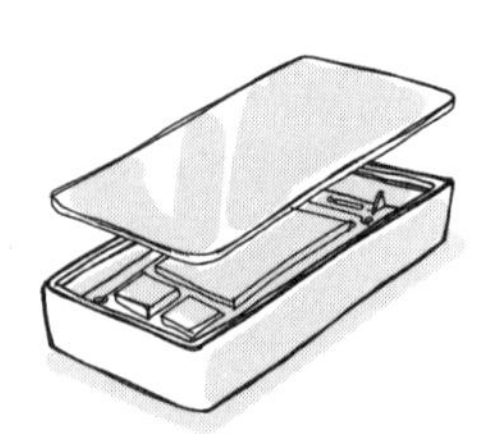

箱は単なる箱ではない

プロダクトの筐体は、少なくとも2つのパーツでできています。パーツの境目である**パーティングライン**の場所は、内部の機構や製造のしやすさ、構造的強度など、純粋に技術的な理由によって決まる場合もありますが、その位置に何らかのメッセージを込められる場合もあります。

プロダクトの底にした場合、通常の使用時には隠れて見えないため、据え置き型のプロダクトに適したソリッド感を与えます。上部に持ってくれば、組立精度の高さを見せることができます。側面の途中に設けた場合には、一般的でニュートラルな印象を与えますが、その位置を生かして、筐体の上下パーツの色や仕上げを変えるなど、プロダクトに視覚的な魅力を付加することもできます。

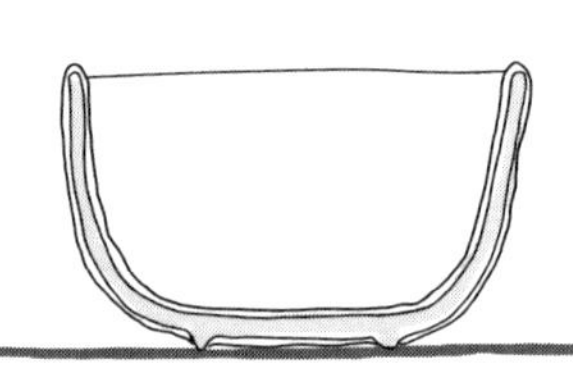

紙コップ

側面を下まで延長して、底面のたわみを可能にし、安定性を高めている

電気製品

ゴム脚によって通気を良くし、同時に筐体の騒音を抑えている

陶器

高台（こうだい）をつけて、底面が窯の棚板にくっつくのを防いでいる

脚を使え

脚は、プロダクトを水平に立たせるためによく使われますが、用途は他にもあります。滑り止めや、プロダクト底面の擦れ防止、衝撃吸収、プロダクトが設置される面の防御、性能向上、外観のまとまり、さらには製造時の補助として用いられる場合もあります。

すりわり／マイナス
レトロ感を出せるが
平凡に見える場合もある

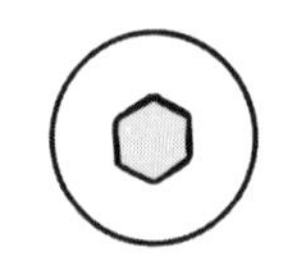

アレン／六角
耐久性が高い印象

トルクス／星型
小さく
精密な印象

フィリップス／プラス
実用的だが
特徴に欠ける

頭を使え

ネジの頭部は、ラベルやゴム脚で隠して見せないようにもできますが、露出させるときは、そのカタチがプロダクトのコンセプトやブランドアイデンティティを伝える重要な役割を演じる可能性があります。

ブレンボ製ブレーキキャリパー*22

チラ見せ

プロダクトに、精巧なパーツや革新的な技術が使われている場合、外から見えるようにして、性能の高さを表現する方法もあります。ただしその場合は、あくまでさりげなく、全部を見せるのではなく、少し覗かせる程度が粋でしょう。

排気口：ヒンジ部に隠れている
吸気口：底面に隠れている。脚の高さによって通気が確保されている

吸気と排気

パッシブ（受動的）換気　テレビやラジオ、キッチン家電など、熱の発生が少ないプロダクトは、筐体に開口部を設け、プロダクトの中を自然に空気が通るようにしています。

アクティブ（能動的）換気　内部にかなりの熱を発生するコンポーネント（部品）のあるプロダクトは、ファンを搭載し、吸気口から排気口へ空気を送るようにしています。

強制（機械）換気　シーリングファン〔天井に取り付ける扇風機〕やヘアドライヤーのように、空気を送るのが主な機能であるプロダクトでは、吸気口と排気口に指や髪が入らないようにデザインします。

デザインの特徴としての換気　ノートパソコンは、楽々と計算を行う印象を与えたいので、吸排気口を隠したいところでしょう。ですが、ゲーミングノートパソコンでは、堅牢性を印象付けるために吸排気口を強調してもよいかもしれません。ルームファンの主用途は空気の循環ですが、ダイソンの画期的な製品は、その機能を隠したユニークな形態が注目されています。

実用性のある色彩
重要なものを見つけやすくする

象徴としての色彩
楽しさや満足感を伝える

ターゲット属性の識別子としての色彩
ジェンダー、社会的地位、
ファッション系統、
所属政党などを表す

まずは生成りから

素材には、その素材固有の色があります。他の色を取り入れる前に、元々の色でデザインに取り組みましょう。

色を使うときには、明確な目的を持って使用します。たとえば、インタラクションポイント〔Lesson 21を参照〕を目立たせるためや、ターゲット層やブランドの識別子として、または使用環境になじませるためなどです。

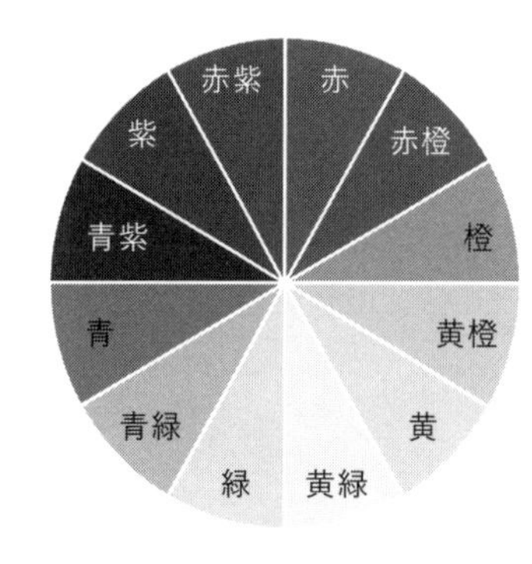

色相
色のスペクトル（色相環）

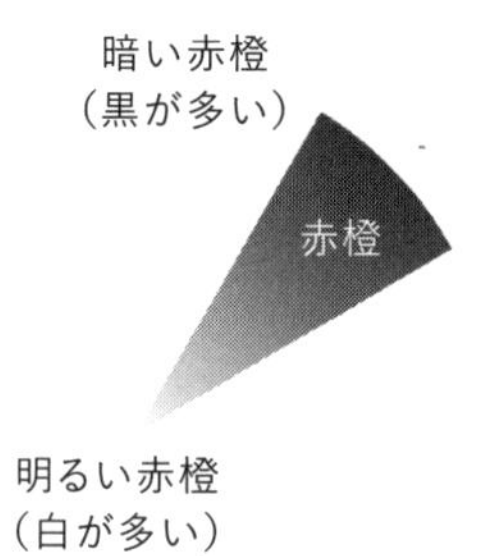

色調、明度
ある色相の明るさ、暗さ

明るい色は細部を、暗い色は輪郭を強調する

明るめの色調は、光と陰影の差を自然に際立たせるため、古典的な大理石像のように、稜線やディテールを観賞するものに適しています。

暗めの色調では、変化やディテールに気づきにくいため、誘目を意図しないもの、たとえばホチキス、マウスパッド、居間に置く家電〔いわゆる黒物家電〕などに適しています。

例外は自動車です。光沢のある濃い色の車体は、明るい屋外では鏡のような働きをします。色の濃いクルマに光が反射すると、同じ型の白いクルマよりも複雑で起伏の多いフォルムに見えます。

白は実用、黒は洗練、メタリックはプロフェッショナル

白は、清潔感や実用性が重視されるプロダクトでは自然に選択される色であり、洗濯機やキッチン家電〔いわゆる白物家電〕の定番カラーとなっています。

黒は、洗練を表す傾向があり、とくに皮革製品のようなパーソナルな製品で好まれます。表面のディテールが見えにくく、ミステリアスな印象を与えることが１つの理由でしょう。

ステンレスのヘアライン加工〔細かい線状の傷をつけるツヤ消し加工〕などの金属の表面処理は、プロフェッショナルな印象を与える傾向があります。家庭でプロ並みの腕前を匂わせたい人が、家電を購入する際に選ぶケースが増えています。

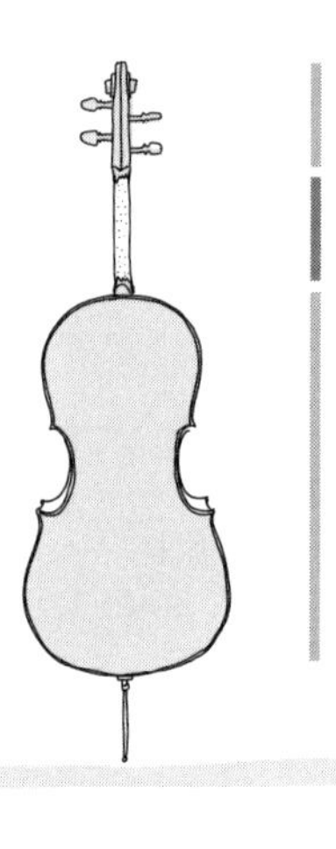

グロスフィニッシュ

ネック裏はサテンフィニッシュで
指を滑りやすくする

グロスフィニッシュ

サテンはグロスより滑りやすい

粗い面は滑らかな面よりもグリップが効き、手足が安定したり固定しやすい傾向があります。ところが、滑らかさが一定の度合いを越えると、その効果は逆転します。最も滑らかな仕上げであるグロスフィニッシュ〔塗装後に磨きをかけてツヤを出した仕上げ〕のほうが、サテンフィニッシュ〔塗装のみのマット仕上げ〕よりもグリップ力が高くなります。

62

素材の色を活かした表面処理

研磨
サンドブラスト*23
クリア塗装

素材に色を染み込ませる

着色、染色、
または成形時に材料に
顔料を混合する

色の皮膜を接着する

化学処理、静電塗装、
電解着色、熱処理

塗装は最後の手段

素材本来の色を隠さずに見せる仕上げのプロダクトは、表面に塗装を施したプロダクトよりも一般的に高級感があり、使い込むほどに味わいが出ます。塗装は、擦れや欠け、色褪せなどにより、プロダクトを劣化させます。安っぽい素材を隠すには効果的かもしれませんが、同時にチープな素材を使っていることを宣伝するようなものです。チープじゃないなら、なぜ隠すのでしょうか？

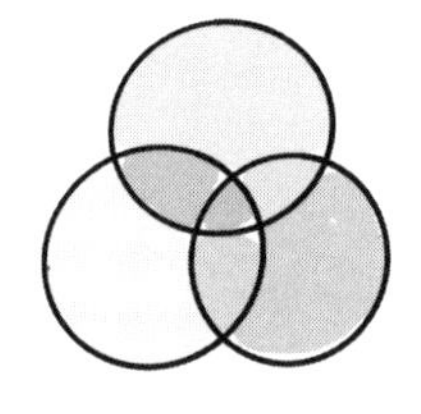

RGB
画面上の色の選択や
指定に用いる

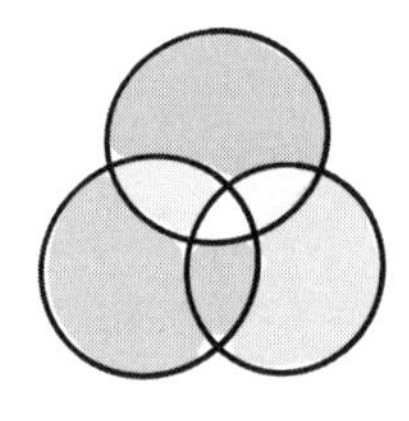

CMYK
有形物の色の選択や
指定に用いる

Pantone
印刷、塗装、
プラスチック素材の色を
選定するためのシステム

Mold-Tech
プラスチック素材の
シボ（表面模様）や仕上げを
選定するためのシステム

カタチあるモノのデザイン判断は、カタチある見本で行う

有形のプロダクトの色（Color）、素材（Material）、仕上げ（Finish）（合わせて「CMF」）を選ぶときに、コンピュータ画面を信用してはいけません。パントン（Pantone）やモールドテック（Mold-Tech）などが開発し販売する業界標準の見本帳を参照します。

ただし、こうした標準に従ってもなお、製造するメーカーが違えば結果も変わり、素材や仕上げによっても指定色の見え方が変わります。一番良いのは、実際のメーカーの量産サンプルでCMFを確認し、決定することです。

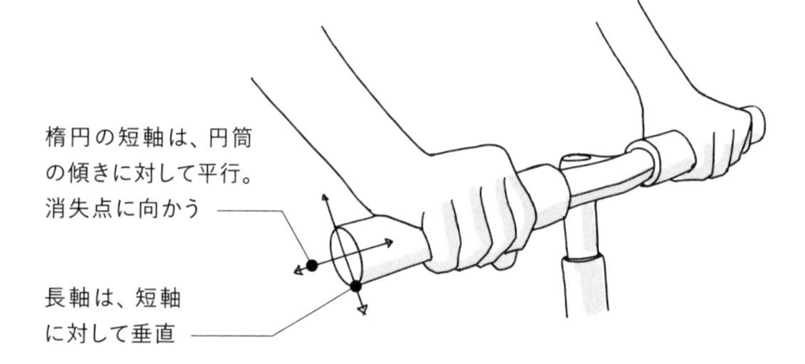

正円を遠近法で表すと楕円になる

「エルゴノミクス＝ぴったり合う」とは限らない

ある造形が、まるであつらえたように自分の手にフィットしたら、最初は極上の触り心地がするでしょう。ところが使い続けるうちに、それが最適だとは思えなくなる可能性があります。そのハマりの良さによって、動きや調整が制限される、つまり持ち方が１つに限定されるからです。

それに対し、円筒は、最初の感動こそないものの、持つ位置を自由に変えられます。また、エルゴノミクス上の「正解」よりも製造しやすく、コストもかからない場合が多いものです。

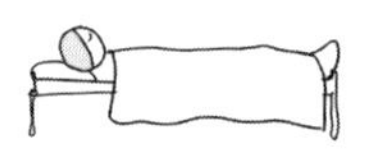

横たわる

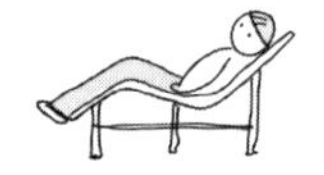

リクライニング

周囲を意識しているが、周囲と関わってはいない

カジュアル

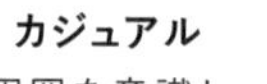

周囲を意識し、周囲と軽く関わっている

アップライト

周囲を強く意識している

タスク

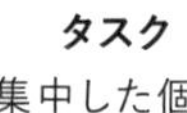

集中した個の活動

カウンター

周囲との関わりに前向き、短時間の関与

立つ

イスの法則

座面が低いほど、座る時間が長くなる。そして快適性が重要になる。

背もたれと肘掛けは、拘束の度合いを示唆する。背もたれのないベンチは、ダイニングチェアやラウンジチェアよりも短時間の使用を仄めかしている。

直角は快適性を損なう。通常、座面は前から後ろへ下向きに最大5度傾斜している。背もたれは、後方へ5度から15度傾斜している。

回転は性能や実用性を表す。タスクチェア、カウンターチェアなど。

上半身が起き上がっているほど、社会的関与の大きさを示唆する傾向がある。リクライニングの角度が大きいほど、プライバシーの高さを表す。ビーチや映画館などのパブリックスペースに置かれるリクライニングチェアは、例外的に私的な体勢と公的な体験とを共存させている。

テーブルの高さ＝座っている人の肘の高さ。

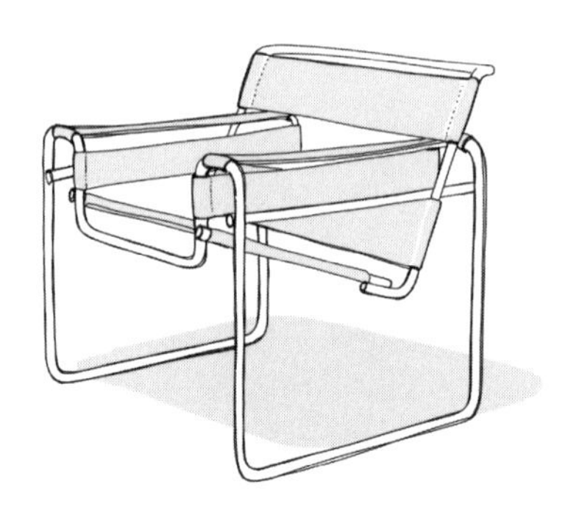

マルセル・ブロイヤー*24作、ワシリー・チェア、1925年

「イスとは、とくに何も必要としないときに、最初に必要になるものであり、それ故に、とりわけ魅力的な文明の象徴である。なぜなら、生存ではなく文明にこそデザインが必要だからである」

―― ラルフ・カプラン＊25

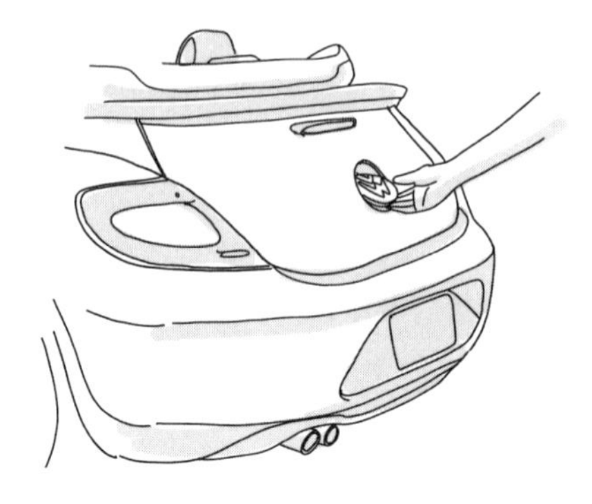

フォルクスワーゲンのトランクレバー

ユーザー自身に見当をつけさせる

ユーザーに発見の機会を与えるということは、機能を隠すということではありません。ユーザーの直感的で容易なアクセスが視覚的にも物理的にも妨げられれば、それは苛立ちにつながります。たとえば、スピーカーの電源ボタンが裏側に付いているような場合です。

しかし、最初は目に入らなかった便利な機能や特徴——たとえば製品ロゴが電源ボタンであることなど——にユーザーが気づく機会があったときには、心地良い「なるほど！」が生まれます。いったんわかってしまえば、その後の使用はスムーズです。ユーザーは、「なぜ今まで気づかなかったんだろう？」と思い、使うたびに最初の「なるほど！」を追体験するでしょう。

68

影響の大きいスイッチほど フィジカルな要素を取り入れる

フラット型／面一（ツライチ）のボタン　物理的な存在感が最小限で、通常、視覚によるアクセスが必要です。サブメニューのプログラミングのような、時たま使用する機能に向いています。プロダクトのフォルムを崩さないという利点がありますが、触覚では見つけにくいボタンです。

突出型／凸ボタン　わずかに持ち上がっているため、触って見つけることができます。「読み取り」や「給紙」など、よく行う操作に向いています。ブレンダーの「入」ボタンやビデオカメラの「録画」ボタンなど、機器のメインの操作には、とくに高さのあるボタンを使用するとよいでしょう。

埋込型／凹ボタン　誤作動したら大変なことになるような、めったに使われない特別な機能に向いています。押されにくいように、わざと特別な手間をかけて押すように作られています。たとえば、Wi-Fiルーターの「リセット」ボタンは、たいていペン先やクリップを挿入しないと押せません。

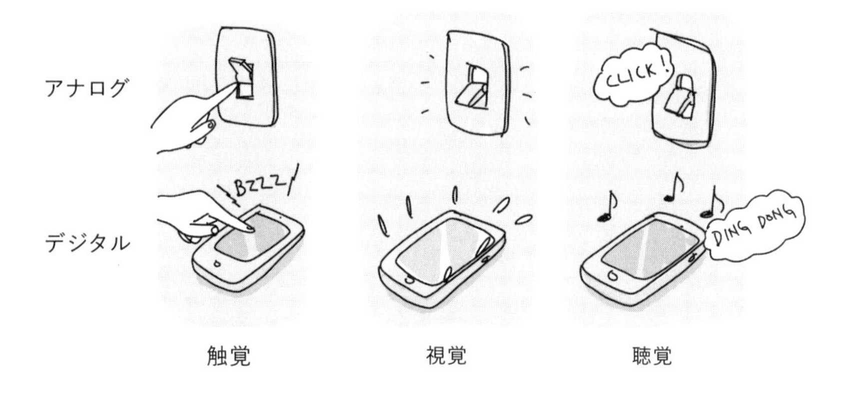

フィードバックの種類

起こるはずのことが起こったか

プロダクトの中には、自動でフィードバックを返すものがあります。掃除機のスイッチを入れたか切ったかは一発でわかりますが、多くのプロダクトでは、ユーザーの意図したインタラクションが実際に行われたかどうかを知る手立てとして、別のフィードバックが必要です。

ユーザーの使用場面を考え、五感のどれに訴えるのが最も効果的か判断します。LEDなどの視覚表示が一般的ですが、触覚へのフィードバックのほうが概して効果的です。たとえば、携帯電話がちゃんとサイレントモードに設定されたことをユーザーに知らせる方法としては、視覚的な通知よりも、振動による通知のほうが効果的だと考えられます。

コンピュータ画面や自動車のダッシュボードのように、情報が非常に多い環境では、聴覚への合図が最も気づかれやすいかもしれません。上がり調子の音（電源オン）、調子が一定の音（モード切替）、下がり調子の音（電源オフ）のように、音階の異なるメロディを使い分けてもよいでしょう。

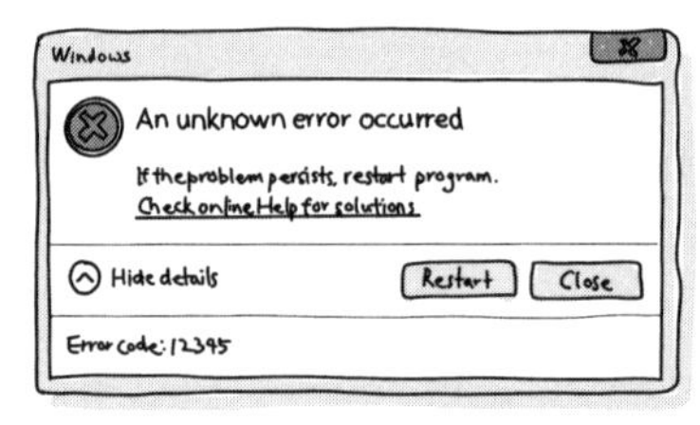

Windows
An unknown error occurred
If the problem persists, restart program.
Check online Help for solutions
Hide details
Restart
Close
Error code: 12345

ソフトウェアの不完全さは許される

消費者は、カタチあるモノには完璧かそれに近いことを期待しますが、ソフトウェアユーザーは、比較的不完全さを許容します。バグや不具合にイラつくことはあっても、工夫してそれらを回避しながらアップデートを待ちます。アップデートには修正だけでなく、新しい機能の追加を期待し、実際に期待通りになります。そこで新たな不完全状態になりますが、再びそれを受け入れ、回避しながら使用するのです。

そのため、ソフトウェア会社には、発売前にすべてのバグを排除すべき理由がほとんどありません。それに時間をかけていると、消費者は待ちきれずに、ライバル企業から出ている不完全な製品を購入してしまうでしょう。

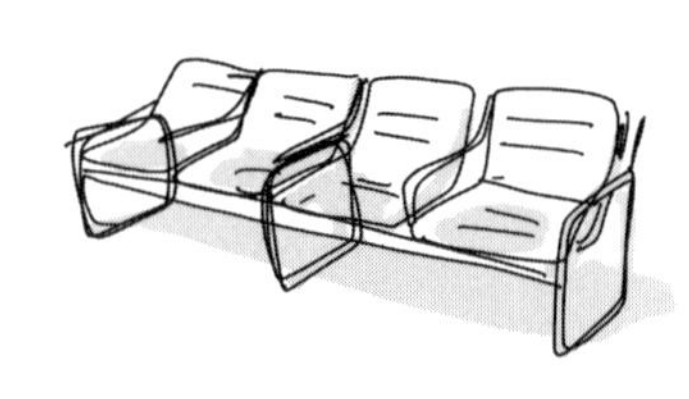

	手工業	大量生産
ユーザーの重視項目	独創性、職人技、美的・文化的価値	まとまった数量、コスト、製造性
おもな材質	木、皮革	アルミ、スチール、プラスチック
同型の生産数量	500以下	5000以上
使用場所	高級ラウンジ、高級住宅	オフィス、公共施設、空港
例	フィン・ユール、チェコッティ・コレツィオーニ	IKEA、Knoll

同じモノを1000個作るのは難しい

手工業は、ネックレス数本、バスケット数十個などのように、1つのモノを少量生産するのに適しています。**大量生産**は、1つのモノを何千、何百万と作るのに適していますが、プランニング、トレーニング、生産設備、管理などにかなりの先行投資が必要です。

その中間の数量の場合、妥当な製造方法を見つけるのに苦労するかもしれません。手工業では品質のばらつきや、高い人件費によって、高級品ではないのに高価格になってしまう可能性があり、大量生産では、直接人件費は安く抑えられても、先行投資を回収するには、単価をとんでもなく高く設定しなければならないかもしれません。

このギャップを埋めるものとして、3Dプリンターや CNC工作機械がありますが、使用できるプロダクトや素材はかなり限定されます。

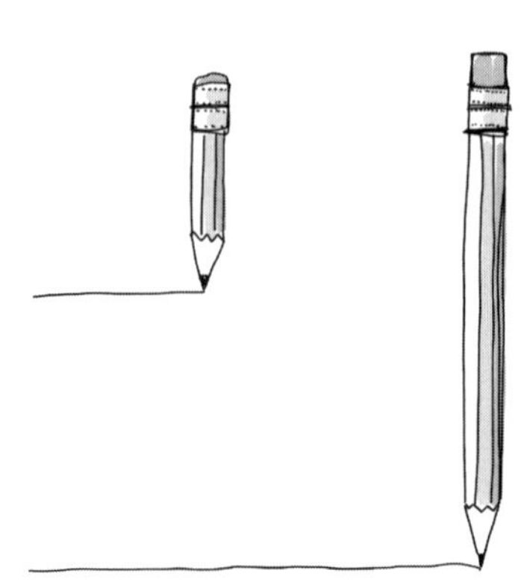

プロダクトの寿命は、
最も寿命の短い部品によって決まる

理想的な製品寿命のあり方は、すべての部品が同時に消耗することですが、ほとんどの場合、プロダクトの運命を決めるのは1つの部品です。

たとえば一体型デスクトップパソコンは、ディスプレイが壊れたらまったく使い物になりません。かなづちのような単純なプロダクトでさえ、木の柄より鉄の頭のほうが何倍も長持ちします。

それでも、デザイン次第で、部品の老朽化をコントロールできる場合もあります。かなづちの柄を取り替えられるようにするのです。

靴では、成型ラバーを糊で貼りつけたソールの場合、ソールを付け替える可能性は低いため、アッパー(甲革)を上質なものにはしないでしょう。ですが、アッパーに20年もつ最高級レザーを使用する靴は、ウェルト製法〔アッパーとアウトソール(本底)の間にウェルト(帯状の革)を挟んで縫い合わせる製法〕を採用して、アウトソールを交換可能にすべきです。

73

使い始める：感情

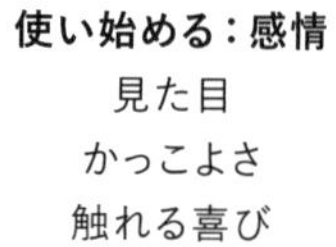

見た目

かっこよさ

触れる喜び

使い続ける：合理性

耐久性

信頼性

快適性

さらに使い続ける：感情2.0

生活の一部

愛着

人格

時間を追ったユーザーエクスペリエンスのデザイン

使い始めの頃のユーザーは、プロダクトに夢中になっている可能性があります。この初期の注目度を利用して、「Wow（ワオ）モーメント」（感動の瞬間）を作りましょう。電子機器なら光や音、インターフェースのディテールなどで「人格」〔Lesson 21を参照〕を感じさせ、洗濯機なら役立つヒントを表示したり、初回を記念して楽しいメロディを奏でたりしてもよいでしょう。物理的なモノには、刺激的な色の組み合わせや、角の精緻な処理、面白い接合構造を使って、熱い視線に応えましょう。

しばらく使用するうちに、そうしたひねりや飾り物に対する興味は薄れるかもしれません。電子機器のインターフェースは、ユーザーがよく使うオプションを学習してハイライトし、使用頻度の少ないオプションをサブメニューへ移動するようにデザインできます。物理的なモノならば、耐久性や信頼性が長期使用の究極のご褒美です〔このようなユーザーの体験のことをユーザーエクスペリエンスと呼ぶ〕。

74

「古くなる(wear out)んじゃなくて、なじんでくる(wear in)と考えたいね」

――ビル・モグリッジ*26

75

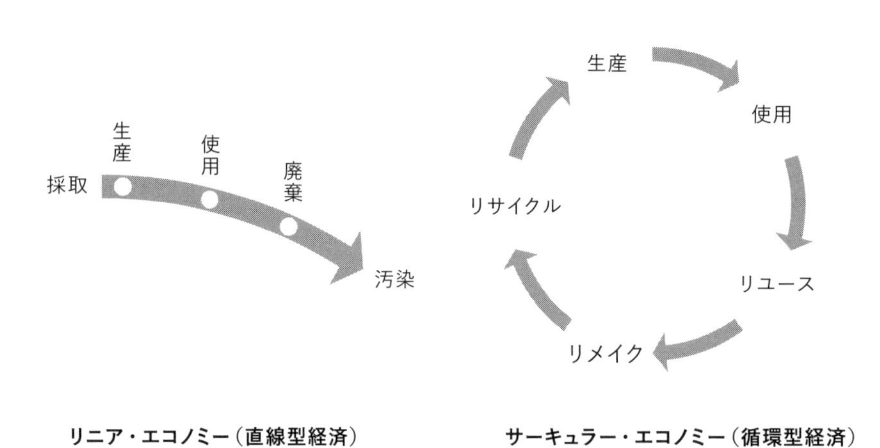
採取
生産
使用
廃棄
汚染
リニア・エコノミー（直線型経済）
生産
使用
リユース
リメイク
リサイクル
サーキュラー・エコノミー（循環型経済）

環境汚染はデザインの欠陥

天然の非石油系素材は、その由来から言って、環境により配慮しているように見えるかもしれません。ところが、環境にやさしそうなものでも、砂糖の小袋や紙コップのように、薄いプラスチックでコーティングされた製品が多く、リサイクルが困難または不可能です。一方、ポリエチレンやポリプロピレンなどの単一の合成物質で作られたプラスチック製カップは、簡単にリサイクルできます。

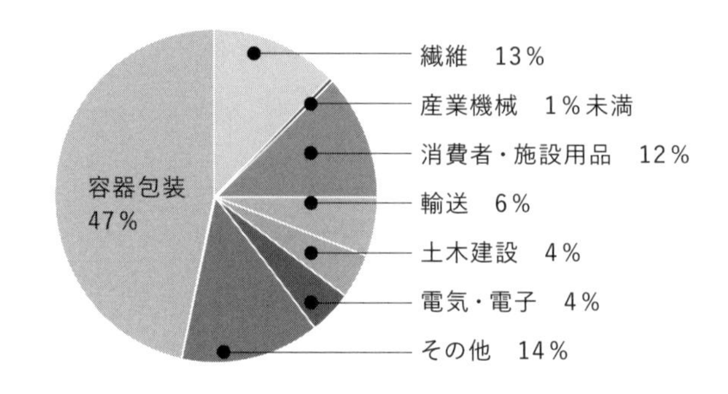

2015年産業セクター別　廃プラスチック排出量

出典：カリフォルニア大学サンタバーバラ校ローランド・ガイヤー教授

プラスチックは素材ではなく性質

「プラスチック」とは、簡単に変形、成形できる可塑性の物質という意味です。一般的に、プラスチック原材料に熱を加えた状態で成形し、その後冷却することによって硬質または半硬質な部品ができます。

プラスチックと呼んでいる素材の多くは、石油製品（ナフサ）に由来する炭素原子と他の原子が鎖状に長く連なった高分子物質を主原料としています。最近では、植物を原料とするプラスチックが増えています。**バイオプラスチック**は使用後、微生物の働きで分解（生分解）され、自然に還ります。

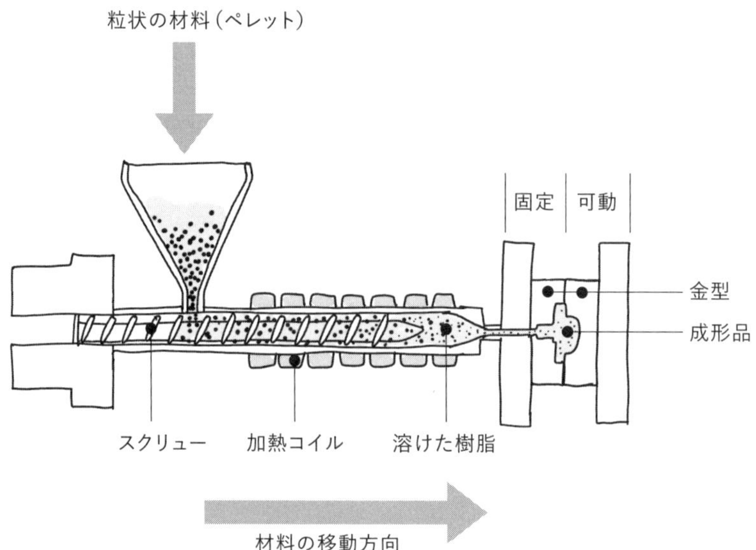
粒状の材料（ペレット）
固定
可動
金型
成形品
スクリュー
加熱コイル
溶けた樹脂
材料の移動方向

射出成形法

　部品の多くは、樹脂ペレットや金属、ガラスなどの原材料を加熱し、**金型**内部の空洞（キャビティ）に流し込む方法で作られます。部品は冷却、固化後、取り出されます。この射出成形法の基礎を知っておきましょう。

金型／部品の形状　成形後、部品を金型から引き抜かなければならないため、部品の側面には最低１度の**抜き勾配**が必要です。また、「アンダーカット」と呼ばれる複雑な形状がある部品は、金型の上下開閉では離型できません。横方向から取り出せる場合もありますが、コストがかかるため、部品を２ピースに分けるという解決策がよく取られます。

金型の材質　10万サイクル以下の大量生産には、熱処理鋼を材料とする金型が適しています。アルミのほうがコストは安いですが、数千サイクルしか持ちません。最終プロダクトにきわめて近い量産試作によく使われます。

生産スピード　アルミ金型は、耐久性が低い代わりに、冷却時間が短く、製造時間（成形サイクル）を短縮することができます。キャビティが複数ある金型では、１サイクルで多数個作れるため、金型の初期費用はかかりますが、部品単価を抑えることができます。

製造原価
x 2
卸売価格
x 2
小売価格

小売価格＝（材料費＋労務費）×4

モーターの組立部品から小さなネジに至るまで、プロダクトの製造に必要な全構成部品を一覧にまとめたものをBOM（Bill Of Materials、部品表）と言い、部品名、寸法や色などの仕様、価格が記載されています。つまり、BOMの合計金額＝材料費です。

デザインや開発のコストを予定利益でカバーする場合、プロダクトの小売価格は、おおざっぱに製造原価の4倍と見積もることができます。

IKEAのポエング・パーソナルチェア、1978年

IKEAのエコシステム

IKEAは、世界最大の家具メーカーです。1943年、幸運にも、時代の感性がアヴァンギャルドからメインストリームへと移行していた頃に創業しました。しかし、IKEAが成功した最大の理由は、プロダクト・エコシステム全体に及ぶイノベーションにあります。

完全な製品ラインアップ　他の家具メーカーと違い、家全体の家具や雑貨が揃っている。

製造　すべての製品を自社製造している。

小売環境　IKEA製品オンリーの空間が販売店とセルフサービス型倉庫の両方として機能している。

低価格　部材や設備を共用した上で、製品を大量生産し、そのほとんどを組み立てずに販売することにより、手頃な価格を実現している。

フラットパック式物流　顧客が自分の車や公共交通機関で製品を家に持ち帰ることができる、平らでコンパクトな梱包は、IKEAシステムを貫く要素である。

DIY　工具や金具の標準化によって、ユーザーが慣れ、スピーディに組み立てられるようになる。

サステイナビリティ　ほとんどの部品部材が単一素材で作られ、リサイクル可能。自社の全業務を再生可能エネルギーで賄うことを目標にしている。

デザイン探索は、パソコンから離れて

　コンピュータは、必ずと言ってよいほど、新しいコンセプトの創出や探索よりも、コンセプトの精緻化やバリエーションの作成に向いています。コンセプトは、プロジェクトの多様な側面を内包する包括的なものです。ところがコンピュータ画像は、視覚的で2次元でしかありません。人がモノと接するときのコンテクスト、触感、嵩(かさ)、重み、温度、におい、エルゴノミクスなどが不在です。

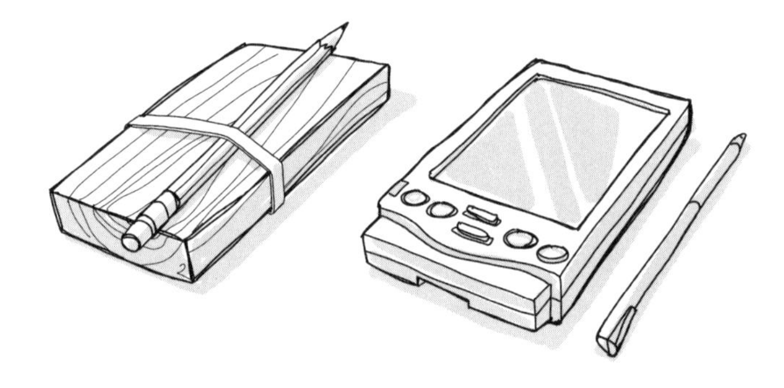

スマートフォンの初期のプロトタイプとして使われた木のブロック

粗削りだからこそ得られるフィードバック

ラフスケッチや生の画像、粗削りのプロトタイプには、他の人 ── とくにデザイナーではない人 ── をデザインプロセスに参加しやすくする力があります。なぜなら、そうした人も、プロジェクトの方向性に対して発言し、影響を及ぼせると思えるからです。

デザイナー自身も、スケッチやレンダリングを丁寧に描けば描くほどデザインへの思い入れが強まり、そのまま進めたいあまりに、フィードバックに耳を傾けようとしなくなりがちです。CGによるスケッチやレンダリングは、開発段階に関係なく、洗練された印象を与える傾向があるため、熟練デザイナーもノンデザイナーもプロジェクトの実際の段階よりも進んでいるように勘違いしてしまうことがあります。

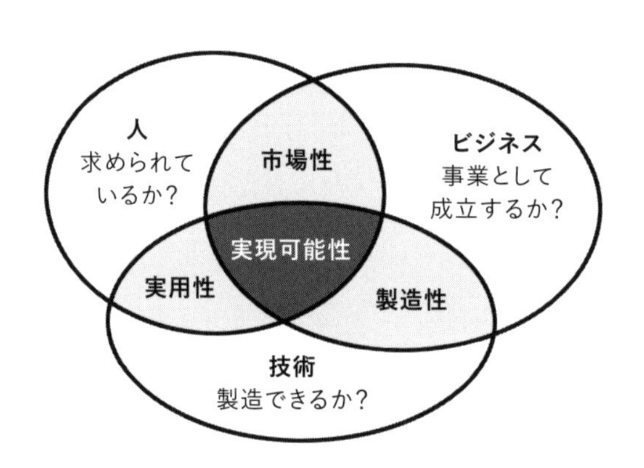
人
求められて
いるか？
市場性
ビジネス
事業として
成立するか？
実現可能性
実用性
製造性
技術
製造できるか？

コンセプトに確信を持つにはクリアすべき条件がある

以下を満たしたコンセプトには、自信を持ってもよいでしょう。

1. 幅広く可能性を検討した中から生まれた。
2. デザインプロセスを通じた発見の結果であり、意識的に追求または想定したのではない。
3. ユーザーに関する生きた知識に基づき、実用性があり、文化的に適切であり、技術的、経済的に実現可能である。
4. テストによって妥当性が確認され、改善されてきた。
5. 斬新すぎない。適切な解決策であるほど、当たり前すぎて新しく感じない場合が多い。
6. その自信が感情ではなく知性に基づいている。

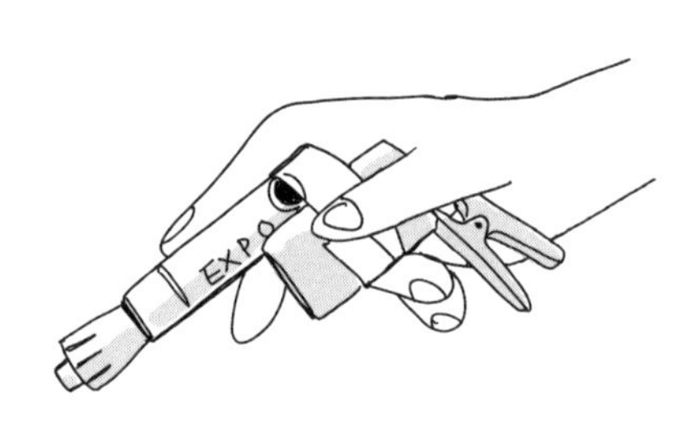

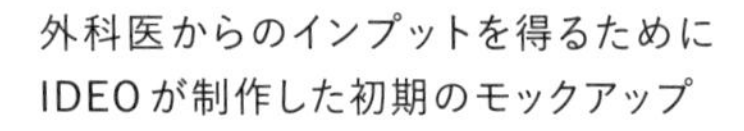

外科医からのインプットを得るために
IDEOが制作した初期のモックアップ

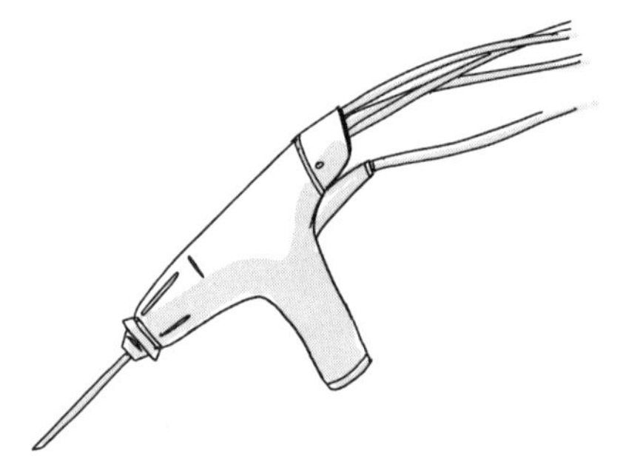

完成したプロダクト

Gyrus ACMIの副鼻腔手術器具ディエゴ

確信の度合いに応じた技巧を用いる

各開発段階のスケッチ、レンダリング、プロトタイプなどのスタディには、その段階に必要なフィードバックを得るのに見合った時間、労力、お金だけをかけます。

デザインに対する確信の度合い以上でも以下でもない正確さ、ディテールの細かさ、作り込みを意識しましょう。

84

ダグラス・エンゲルバート*27による最初のコンピュータマウスのプロトタイプ

名前を付けられるのがコンセプト

コンセプトを客観的に正確に説明するには、ニュートラルな名前がよいかもしれませんが、それではコンセプトの一番の魅力が伝わらず、愛着を生まず、開発の経過を追う助けにもなりません。どれが「コンセプトD」でどれが「コンセプトM」だったかはすぐに忘れても、「サメの歯コンセプト」と「やさしいモグラコンセプト」を取り違えることはけっしてないでしょう。

開発中のコンセプトには、意味ありげで控えめな名前より、大袈裟なほどインパクトのある名前を付けるほうが賢明です。あとで、誇張した表現をトーンダウンさせるほうが、地味な表現を面白くするよりも簡単だからです。

さらに名前は、単なる呼び名ではなく、形態や大きさ、素材、仕上げなどを決める際の１つの判断材料にもなります。

シンプルさを打ち出すには、見えないところに工夫がいる

クレイトン・バーマン・スタジオがデザインしたスツールNo.1は、1本の長いロッドを曲げて作ったように見えます。でも、それには長さ9mの金属棒が必要で、加工にも非常に手間がかかります。実際の脚は、まったく同じパーツを4つ座面の下でつないで作られています。

経験の少ないデザイナーは、そうした仕掛けはデザインコンセプトを「けがす」と言うかもしれません。心得のあるデザイナーは、単純なコンセプトや単純なナラティブ〔Lesson 87を参照〕が文字通り単純であることは稀だと知っています。

86

アルコランプ
独特なサイズ感と
フォルムを持った、
ペンダントライトのような
フロアランプ

フォルクスワーゲン・ビートル
てんとう虫の形状

ブロイヤー・チェア
1本の連続した
スチールパイプ

Apple製ノートパソコン
モノクロ、ミニマル

何より大事な「1つのこと」を決める

　他の何を譲歩しても、絶対に守り抜く1つの明快なアイデアを大切にすべきです。その1つとは、特定のデザイン要素かもしれませんし、品質やシルエット、機能、フォルム、素材、色、それら以外の製品特長かもしれません。
　それは、プロダクトを最も端的に言い表すコア・ナラティブを体現しているべきアイデアです。
　誰かがこのプロダクトを人に説明するときには、そのコア・ナラティブがポンと出てくるようでなければなりません。

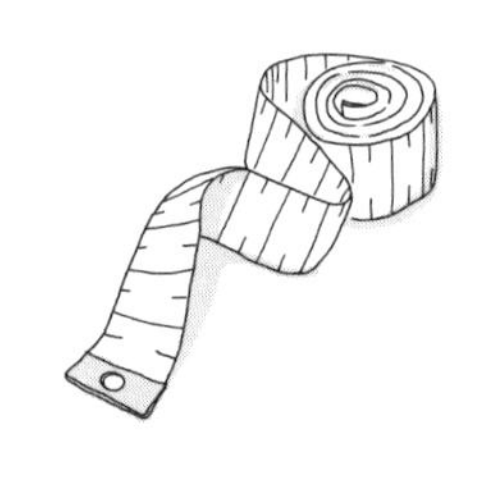

量的／数値的データ

- □ 一度もない
- □ まれにある
- □ 時々ある
- □ よくある
- □ いつもそうである

質的／カテゴリー的データ

データの種類

答えが足りないのは質問不足

プロジェクトがなかなか進展しないときというのは、自分の才能に依存しすぎて、ユーザーニーズやプロダクトを取り巻く環境、技術的な問題、市場などについて十分な知識がないことが状況として考えられます。

行き詰まったときには、どんなことでも聞き込むことです。色で迷ったら、直接色に関係のない質問をしてみましょう。プロダクトはどこに置かれるのか。どんな物理的性質が使用に影響するのか。どのように製造されるのか。屋内だけでなく日の当たる屋外でも使用されるか。引き出しにしまわれるのか、それともコーヒーテーブルに飾られるのか。

自分の中に答えを見つけるのも大事ですが、外に目を向けると、自分の中の知識やイメージを広げることができます。新しい情報を取り入れたら、光明が差し込むでしょう。

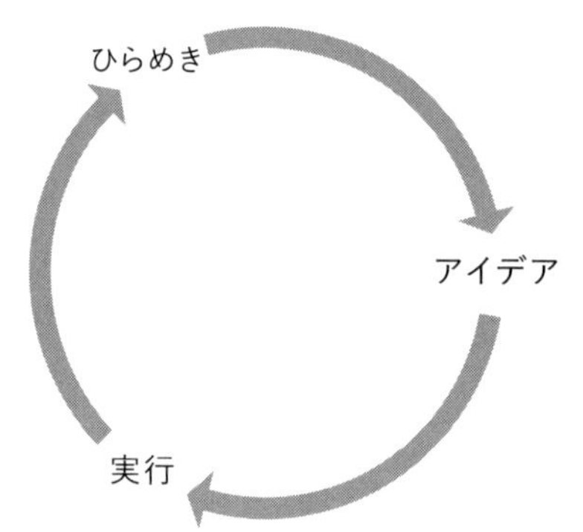
ひらめき
アイデア
実行

根本の質問に繰り返し立ち返る

どんなにデザインプロセスがスムーズに進行していても、何を一番解決すべきかがまだ明確になっていなかったり、一番の問題に対してカギとなる洞察〔Lesson 16を参照〕が見つかっていないと感じることはよくあることです。

そこで、デザインプロセスは、プロジェクトの一番根幹の質問に繰り返し立ち返るように組み立てます。誰のためのプロダクトか。なぜ必要とされているのか。いつどのように使われるのか。この形態に決定した理由は何だったか。正確にその理由だろうか。重要な質問を言い換えたりして、すでに答えた質問の新しい答えを探ります。

その狙いは、出発点――または、あるべき出発点――から深めてきた理解を根拠にして、解決策へと歩を進めるためです。プロジェクトの見通しが立ち、細部の詰めに焦点を移す中でも、根幹の質問に繰り返し立ち返り、正しい具現化の方法を見きわめましょう。

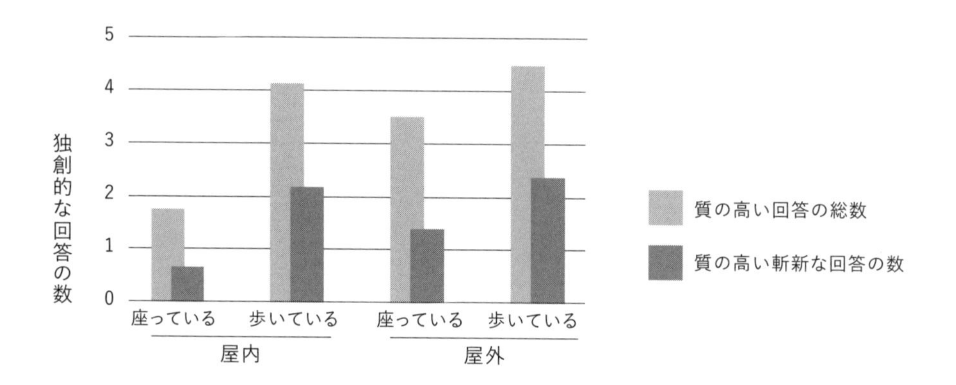

スタンフォード大学による歩行と創造性に関する研究、2014年

他に行き詰まったときにできること

1. デザインステートメント〔Lesson 15を参照〕を読み直し、書き換えてみる。
2. つまずきの原因とは必ずしも関係がないと思う事柄について新たな質問をする。必要だと思う質問だけを考えていると、堂々巡りから抜け出せない。
3. プロジェクトに取りかかった動機を振り返り、「Why（なぜ）」の質問〔Lesson 4ならびにLesson 22を参照〕に対するこれまでの答えがブレていないか確認する。
4. 不要な想定をしていないか。特定のアイデアや価値観に不必要に執着していないか。
5. 考えるだけでなく、手や体も動かそう。

ジャジャーン！をやってはいけない

デザインプロセスのどの段階にあっても、自分がどのような方向性で探索を行なっているのかを、指導教官やクライアントに知らせる必要があります。「開けてびっくり」があってはならないのです。最終のプレゼンテーションでサプライズがあるとしたら、それは、それまでに検討したすべてが相乗的に作用して、思った以上にすばらしいものが出来上がったときであるべきです。

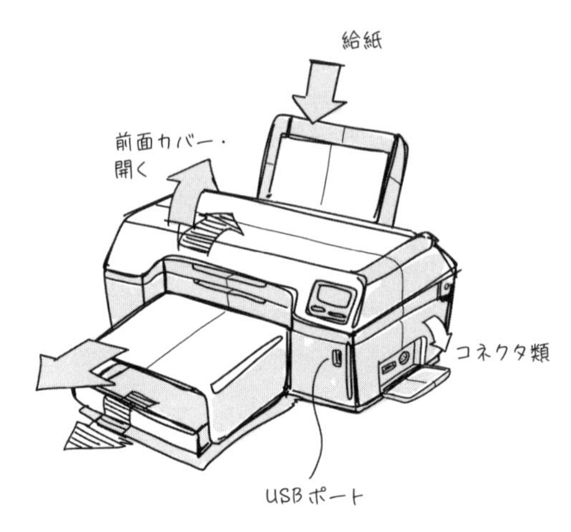
給紙
前面カバー・
開く
コネクタ類
USBポート

形態だけでなく、機能も見せる

　ヒンジだけでなく、ヒンジの動きを描く。引き出しだけでなく、引き出しを引いたところを見せる。ノブの回転、フタを回して外す動き、カバーがヒンジを支点にパカッと開く様子を示す。業務用携帯端末を操作する手や、スイッチを動かす手を見せる。マッサージャーが振動している様子を見せる。リクライニングしたイス、畳まれたテーブルの脚を出す過程、テントが組み上がる様子を描く。照明器具の点灯と消灯を見せる。

92

やったことを全部見せるのは逆効果

プレゼンテーションでは、自分が描いたスケッチや実施したスタディを片っ端から見せて、評者やクライアントを感心させたい誘惑に駆られるでしょう。ですが、それではあなたが問題をどのような視点で捉え、調査を行い、複数のコンセプトを比較検討し、その案にたどり着いたのかが伝わりません。

プレゼンテーションには、一貫したナラティブ（ストーリー）〔Lesson 95を参照〕を組み立てる上で役立つ資料だけを抽出します。プロセスの中でも重要なフェーズに絞って話を進め、あなたの考えた解決策がいかに名案かを納得させることに専念しましょう。

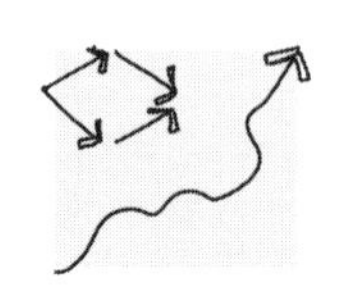

課題
課題の理解と
フレーミング／リフレーミング

プロセス
リサーチ／データ収集
デザイン案の創出
絞り込み

プロダクト
最終案の出来栄え
適切性

プレゼンテーション
グラフィック
モックアップ
口頭による
コミュニケーションの質

学生の作品講評で一般的に使用される評価項目

評者を「利用」する

客員教授や外部から招かれた審査員が、実習の課題や関連する問題、指導教官の意図などを最初から理解しているとは限りません。そこで、批評してほしいポイントを上手に知らせましょう。評者には、実習課題の要点を明確に伝え、的外れな批評で無駄な時間を使わせないようにします。

そのためには、ただ講評に対して受け答えをするのではなく、聞きたいことをあらかじめリストアップしておきます。自分が理解や解決できていないこと、さらなるスタディが必要な点、別のアプローチなど、指導を仰ぎたい点を伝えましょう。

今朝、クジラの赤ちゃんが岸に打ち上げられ、内臓から大量のプラスチックごみが見つかりました。その一部はあなたの家の台所から出たものです。

ストーリー
感情や個人的な側面に重点

年間100万トンのプラスチックごみが海に排出されています。私たちは5つの段階を踏んでこの問題を解決します。

論理
事実、筋道、分析に重点

論理だけでなくストーリーを使って説得する

プレゼンテーションではまず、カスタマーエクスペリエンス（顧客体験）や顧客の悩みの種を**ユーザー視点のナラティブ**（物語形式）で紹介します。ナラティブは、特定少数の特異な事例についてでも構いませんが、最終的には、多くのユーザーの共感と理解が得られる問題や状況であることを示す必要があります。

続けて、デザイナーであるあなたがどのように問題を受け止め、リサーチ、分析、解決したかという**デザイン視点のナラティブ**に移ります。集めた情報を駆使して得た洞察や、あなたが立てたいくつもの仮説、プロトタイプの失敗と成功、そして行き着いた解決策（デザイン案）について論じます。このナラティブは、最終的に筋の通った説得力のある議論および提案になっていることが重要です。

その後、ユーザー視点のナラティブに戻り、両者を融合させます。つまり、あなたのデザイン案がユーザーの悩みを解決し、ユーザーの生活環境に自然に溶け込んでいくことを立証しましょう。

製造地	**中国**	**シカゴ**
小売価格	350ドル	35ドル
製造工程	溶接、射出成形、組立	裁断、縫製
材料	鋼鉄、プラスチック、電子部品	皮革、糸
最低発注量	1000	50
輸送費	40ドル	8ドル

プロダクト第1号は、軽薄短小なものを

デザインしたプロダクトを自主生産する——それがデザイナーとして最初のビジネス経験になることもよくあります。たとえ失敗しても、コンセプトデザインを提案するプロジェクトよりも、エンジニアリング、プレゼンテーション、調達、生産、マーケティング、輸送、カスタマーサービスなどに関して多くを学ぶことになるでしょう。

最初は、製造コストがあまりかからず、簡単に輸送できる単純なプロダクトを選ぶとよいでしょう。大量生産型設備（射出成形機など）が必要なプロダクト（スマホケースなど）は、比較的安い単価で少量生産できるプロダクト（長財布など）よりもリスクが高く、重厚長大なプロダクト（家具など）は、高額な輸送費や在庫費用がかかります。

著作権
保護期間は著作者の
死後70年まで

登録商標
更新により
永久権になる

トレードマーク
商標であることの表示。
保護される場合と
されない場合がある

特許
出願日から20年

登録意匠
出願日から25年

秘密保持契約
潜在的な提携先や
出資者に開示する
アイデアの保護

知的財産の保護

思い入れより、事業利益を守るために権利化する

　創作物には思い入れがあるものです。特許を取得することによって、作品に込めた思いを守れると思うかもしれませんが、知的財産を保護する本当の意味は、経済的な利益にあります。

　特許権はモノと方法に関する発明、実用新案権は物品の形状、構造または組合せに係る考案を法的に保護するものです。費用はかかりますが、権利を取得すれば、競合他社による使用や模倣を法的に阻止したり、第三者に使用を許諾して使用料を得たり、特許権そのものを売却したりすることができます。

　意匠権は、機能ではなく、視覚的な美的要素や装飾的要素を保護します。特許権よりも取得しやすい分、競合他社が非常に似たデザインの商品を販売できるため、保護することが難しい場合があります。

プラットフォーム	コンテンツ	露出度	オーディエンス
ポートフォリオ作成サイト*28	プロジェクトの全詳細	低	業界関係者
ソーシャルメディア	プロジェクトの1画像、ほんの触り	高	個人のネットワーク 一般大衆
デザインコンペティション*29	プロジェクトの全詳細	低〜中	業界関係者

身近な人より、
よく知らない相手のほうが頼りになるかも

就職先やクライアントを探しているとき、また仕事や仕事以外でつながりたい人がいるときに、家族や友人、同級生、恩師、仕事仲間といった身近な人のツテを頼ろうとするのは自然なことです。でも付き合いの長い相手であればあるほど、その人の人脈やその人を通じた出会いのチャンスをすでに使い果たしている可能性が高いものです。面識がない人や、あまりよく知らない相手 ── 直接は知らないけれども、共通の知り合いがいるなど ── なら、公私ともにまったく違う人脈を持ち、そこから新たな扉が開ける可能性があります。

プロダクトデザイナー

ユーザーインターフェース／
ユーザーエクスペリエンスデザイナー

ディスプレイデザイナー

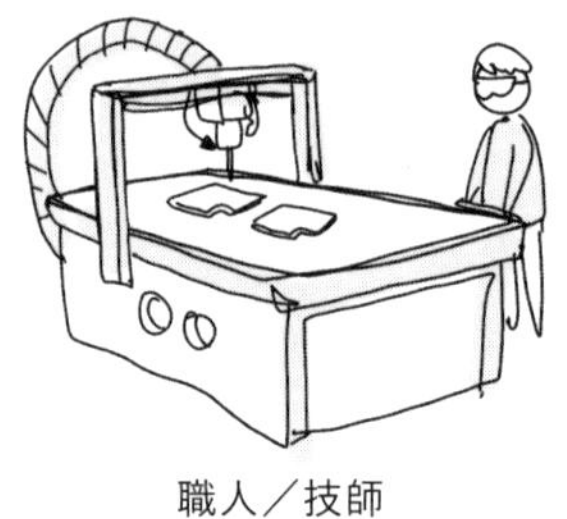

職人／技師

実業家／起業家

デザインリサーチャー

プロダクトデザインに関わる仕事

最初に就く仕事は、
最初に就いたというだけにすぎない

駆け出しのうちは、プロダクトデザインのどの分野が自分に一番向いているのかや、興味が持続するのか、いつまで市場性があるのかなど、わからないものです。

どこからスタートすべきか。正解はありません。可能な限りたくさんの分野を経験しましょう。居心地の良い場所を飛び出して、得意分野を１つではなく、いくつも作りましょう。やりたい１つのことが見つかったときには、それまで培ってきたさまざまな経験が仕事を豊かにしてくれるでしょう。

99

対人スキル
心の理解、ユーザー意識の共有、
共感、人間中心の課題解決、
ユーザー自身では得られない価値の提供

課題解決能力
分析、概念的思考、
デザイン案の創出などの抽象的思考力

実技能力
原則の適用や応用、技巧、描画、
プロトタイピング*30、製造、
組み立て、点検、修理

能力の階層

究極のスキルはデザインスキルではなく、理解力

学校では、一般的に、学生の思考力と実技能力を重点的に育成するため、それらを身につければ優秀なスターデザイナーになれる、と思いがちです。けれども、プロのデザイナーが持てる最大の武器は、人の心を読み取り、解釈する能力であり、人々が必要とし求めているものを、謙虚さと共感を携えながら、本人たち以上に理解する能力です。

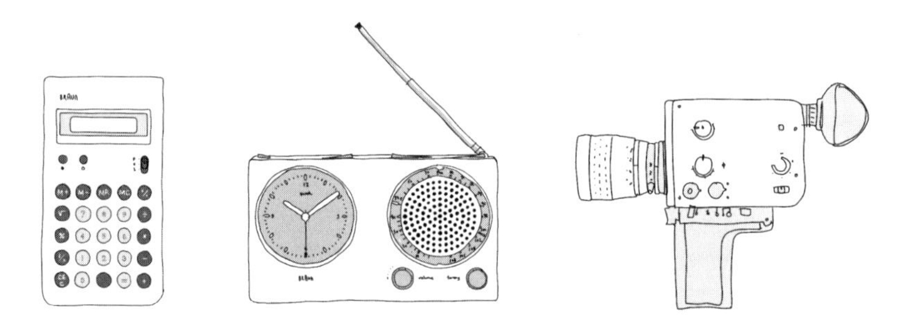

ディーター・ラムス*31がデザインしたプロダクト

作品にはそのつもりはなくともあなたらしさが出る

自己表現──デザインにその場があるとして──は、自分らしさを追求して生まれるものではありません。

ある問題をできる限り正直に、敏感に、丹念に検討し、自分という人間が表現されているかどうかに関係なく、それぞれの状況で最も適切な判断を下すことによって生まれるのです。

あなたらしくあろうとしていないときに出来上がったものこそ、紛れもなくあなたなのです。

謝辞

マーティン・セイラーとスン・ジャンより

　以下の方々に感謝申し上げます。クレイトン・バーマン、カレン・チェはじめ筆者の家族、デール・ファーンストロム、デイヴィッド・グレシャム、クリス・ハッカー、TJ・キム、エド・コイズミ、リチャード・レイサム、スティーヴン・メラメッド、ビル・モグリッジ、ピーター・プファナー、ザック・ピノ、クレイグ・サンプソン、リサ・セイラーはじめ筆者の家族、スコット・ウィルソン、ロバート・ゾルナ。

マシュー・フレデリックより

　以下の方々に感謝申し上げます。カーラ・ダイアナ、ソーチャ・フェアバンク、マット・インマン、ジェイムズ・ラード、ホルヘ・パリシオ、エリック・タフト。

訳者あとがき

なぜ「101」か。「101」には英語で「入門講座」や「基礎」といった意味があります。それもなぜかといえば、全米の大学の履修科目に割り振られている3桁の科目番号（数字が大きいほど上級レベル）の最初の番号が「101」であることに由来しているようです。というわけで本書には、（「側（がわ）だけ作る」人ではない）プロダクトデザイナーがどのような仕事をし、何を考え、また考えるべきかの基本と知恵が書かれています。

私がデザイン会社IDEOの日本オフィスで働いていた当時、著者の1人、マーティン・セイラーはシカゴオフィスのヘッド兼プロダクトデザイナーでした。デザイン思考やチームデザインのプロセスは、現場での試行錯誤を経てアメリカの大学教育に取り入れられ、日本の企業や大学にも導入されてきました。皆さんはたった今、そのエッセンスに触れたわけです。

実は本書に書かれていない鬼に金棒なスキルが1つあります。それは語学力です（もちろん私たちのような人がサポートするのはやぶさかではありませんが）。グローバル化の波はデザイナーにも押し寄せています。日本のメーカーでも生産は海外ということは大いにありますし、仕事をしていくうちに、もっと大きな、または未成熟な市場に挑戦したくなることもあるかもしれません。正確に流暢に話す必要はまったくなく、どんなかたちであれ意図が伝わることが大事で十分です。そんなことも視野に入れながら、またページをめくっていただければ幸いです。

2021年7月　石原 薫

原註

Lesson 33: “Pete Pinnell: Thoughts on Cups,” https://www.youtube.com/watch?v=WChFMMzLHVs〔本書刊行時〕

Lesson 90: Marily Oppezzo and Daniel L. Schwartz, “Give Your Idea Some Legs: The Positive Effect of Walking on Creative Thinking”, *Journal of Experimental Psychology: Learning, Memory, and Cognition, American Psychological Association*, vol. 40, no. 4 (2014): 1142–1152

訳註

*1　ラリー・キーリー：イノベーションを専門とするコンサルティング会社ドブリンを率いる。1997年に世界的講演会TEDカンファレンスで5Eモデルの原案を提唱した。(→Lesson 2)
*2　カスタマージャーニー：直訳すると「顧客の旅」。商品を提供する企業やブランドと顧客とのさまざまな段階における接点(タッチポイントという)、および各接点における顧客の体験(行動、思考、感情)のすべて。(→Lesson 2)
*3　スコット・ウィルソン：デザイナー、起業家。ナイキやIDEOでの勤務を経てデザインスタジオMINIMALを設立。(→Lesson 10)
*4　ジョナサン・アイヴ：AppleでiMac、MacBook Air、iPod、iPhone、iPadなどをデザイン。2019年にAppleを退社し、自身のデザイン会社LoveFromを設立。(→Lesson 11)
*5　ウィリアム・H・ホワイト：アメリカの都市社会学者、人間行動学者。邦訳書に『都市という劇場』(柿本照夫訳、日本経済新聞出版、1994年)などがある。(→Lesson 16)
*6　アップサイクル：廃棄された製品や素材から、デザインやアイデアによって新たな価値を付加したモノを生みだすこと。(→Lesson 17)
*7　フライターグ：トラックの幌や車のシートベルトを再利用したカバンや、堆肥化が可能な独自開発の繊維を使用したアパレル製品を製造するスイスのブランド。(→Lesson 17)

＊8　CMF：有形のプロダクトを製造する上で考えるべき内外装の色（Color）、素材（Material）、仕上げ（Finish）の頭文字を合わせた呼び方。Lesson 64を参照。（→Lesson 23）
＊9　リチャード・ノイトラ：建築家。フランク・ロイド・ライトの元で働いた後、独立。ミッドセンチュリーモダンの個人邸を数多く設計し、アメリカ建築家協会よりAIAゴールドメダルが贈られる。（→Lesson 29）
＊10　ジョエ・チェーサレ・コロンボ：イタリアのデザイナー、建築家。1970年に発表したボビーワゴンが、ニューヨーク近代美術館のパーマネントコレクションに選定されるなど、短い人生で名作家具を多数残した。（→Lesson 30）
＊11　アレッサンドロ・メンディーニ：デザイナー、建築家。エットレ・ソットサスらとともに前衛的なデザインを発表。世界各国の美術館に作品が収蔵されている。（→Lesson 35）
＊12　ビアジオ・チソッティ：イタリア出身のデザイナー。家具や調理器具をデザインする傍ら、建築やデザインの教育や促進にも尽力している。（→Lesson 35）
＊13　フィリップ・スタルク：フランス出身のデザイナー。東京の浅草に建つアサヒビールの本社ビルと隣接するホールを設計。活動領域は広く、ソニーやセブン-イレブンなど複数の日本企業ともコラボレートしている。（→Lesson 35）
＊14　ガエタノ・ペッシェ：建築家、デザイナー。女性をイメージしたというユニークなフォルムの家具「Up」シリーズや、大阪南船場のオーガニックビルなどで知られる。（→Lesson 35）
＊15　エットレ・ソットサス：イタリアの建築家、デザイナー。装飾性豊かなポストモダンのデザ

イン作品を多数発表。デザイン界に大きな功績を残した。(→Lesson 35)

＊16　マルセル・デュシャン：美術家。男性便器を作品とした『泉』などの実験的な美術作品によって、20世紀以降の美術に大きな影響を与えた。(→Lesson 38)

＊17　座面高さ：日本では41～42cmが平均。(→Lesson 47)

＊18　天板高さ：日本では70～72cmが平均。(→Lesson 47)

＊19　チャールズ・ハリソン：プロダクトデザイナー。1961年、アフリカ系アメリカ人に差別的な態度をとってきた米小売大手シアーズに採用され、同社デザイン部門のトップに登りつめた。(→Lesson 49)

＊20　ビューマスター：1939年に発売された3Dスライドビューアー。ハリソンは、初のプラスチック製モデルを子どものオモチャとしてデザインし、大ヒットさせた。(→Lesson 49)

＊21　イサム・ノグチ：彫刻家。鉄や石の彫刻作品だけでなく、照明器具やテーブルなどの家具も発表。他に札幌のモエレ沼公園や子どもが遊ぶための遊具彫刻もデザインした。(→Lesson 52)

＊22　ブレーキキャリパー：ディスクブレーキを使用した車の減速と停止を支える装置の１つ。内包するブレーキパッドで車輪の回転体を挟み込み、摩擦力でブレーキをかける。(→Lesson 57)

＊23　サンドブラスト：表面に砂状の研磨材を吹き付ける加工法。(→Lesson 63)

＊24　マルセル・ブロイヤー：建築家、デザイナー。バウハウスにて、ヴァルター・グロピウスの元で学ぶ。モダンデザインを体現する家具を制作した。(→Lesson 67)

＊25　ラルフ・カプラン：アメリカのデザイン評論家。デザイン雑誌のライター、のちに編集長として勤務した後、評論家となる。デザインコンサルタントとしても活動した。(→Lesson 67)

＊26　ビル・モグリッジ：プロダクトデザイナー。国際的なデザインコンサルタント会社IDEOの設立者の１人。インタラクションデザインの名付け親で草分け。(→Lesson 75)
＊27　ダグラス・エンゲルバート：アメリカの発明家。マウスを発明した他、ハイパーテキストやGUI（グラフィカルユーザーインタフェース）の発展に寄与した。(→Lesson 85)
＊28　ポートフォリオ作成サイトのロゴ：左からSquarespace、WordPress、Coroflot。(→Lesson 98)
＊29　デザインコンペティションのロゴ：左からiFデザイン賞、レッド・ドット・デザイン賞、グッドデザイン賞。(→Lesson 98)
＊30　プロトタイピング：プロトタイプ、つまり実働するモデルを早期に制作し、検証や改善を繰り返す手法のこと。(→Lesson 100)
＊31　ディーター・ラムス：プロダクトデザイナー。約40年に渡りブラウンのデザインチーフとして、時計や電卓、オーディオシステムなどをデザインする。そのミニマルなデザインは、多くのデザイナーに影響を与えている。(→Lesson 101)

著者プロフィール

スン・ジャン（Sung Jang）
アーティスト、インダストリアルデザイナー。スン・ジャン・ラボラトリー代表。イリノイ大学シカゴ校インダストリアルデザイン学科准教授。

マーティン・セイラー（Martin Thaler）
国際的に活躍するプロダクトデザインコンサルタント。イリノイ工科大学デザイン大学院客員教授。

マシュー・フレデリック（Matthew Frederick）
建築家、都市計画家。デザインおよびライティング講師。〈101のアイデア〉シリーズの生みの親。ニューヨーク州ハドソンバレー在住。

訳者プロフィール

石原薫（いしはら・かおる）
セイコーエプソン、IDEO勤務を経て翻訳家に。訳書に『アニメーションの女王たち』、『姿勢としてのデザイン』（以上フィルムアート社）、『よい製品とは何か』（ダイヤモンド社）などがある。

プロダクトデザイン 101のアイデア

2021年 9月 5日　初版発行
2024年12月15日　第3刷

著者　スン・ジャン、マーティン・セイラー、マシュー・フレデリック
訳者　石原薫

デザイン　戸塚泰雄（nu）
日本語版編集　伊東弘剛（フィルムアート社）

発行者　上原哲郎
発行所　株式会社フィルムアート社
〒150-0022 東京都渋谷区恵比寿南1-20-6 プレファス恵比寿南
Tel 03-5725-2001　Fax 03-5725-2626
https://www.filmart.co.jp/

印刷・製本　シナノ印刷株式会社

Printed in Japan
ISBN978-4-8459-2101-0 C0070